愛を伝える5つの方法

The Five Love Languages
How to Express Heartfelt Commitment to Your Mate

Gary Chapman

ゲーリー・チャップマン［著］

ディフォーレスト千恵［訳］

いのちのことば社

This book was first published in the United States by Moody Publishers, 820 N. LaSalle Blvd., Chicago, IL 60610 with the title *The Five Love Languages*, copyright ©1992, 1995, 2004, 2010, 2015 by Gary D. Chapman. Translated by permission.

妻キャロリン、娘シェリーそして息子デリックに贈る

目次

はじめに

愛は、家庭に始まるものです。いや、始まるべきもの、と申し上げましょう。私にとっての家庭とは、サムとグレース、私を五十年以上も愛してくれた父と母です。彼らがいなかったら、私は愛が何かを知ることもなく、今もなお、それを捜し求めていたことでしょう。このように愛についての本を書くことなどもなかったはずです。

また、私にとって家庭とは、四十年以上も結婚生活を共にしているキャロリンとの生活です。もし妻であるすべての女性が彼女のように夫を愛するなら、妻以外の女性をつまみ食いする男の数も、めっきり少なくなることだろうと思います。娘シェリーと息子デリックはすでに巣立ち、彼ら自身の新たな世界を探検中ですが、私は彼らの温かな愛情を確かに感じています。私は本当に祝されています。そのことに心から感謝しています。

私が持つ愛の概念は、多数の専門家から影響を受けたものです。特に、精神病医ロス・キャンベル氏、ジャドソン・スウィハート氏、スコット・ペック氏には感謝しています。編集協力をしてくれたデビー・バーとキャシー・ピーターソンには大変お世話になりました。また、出版期日に間に合わせることができたのは、トリシヤ・キュービーとドン・シュミットの技術的専門知識のおかげです。

最後に、過去三十年間に渡って、夫婦関係の私的な面を私に語ってくれた何百というカップルの方々に心から感謝します。彼らの誠意に敬意を表して、この本を彼らに捧げます。

第1章　結婚すると「愛」はどこへ消えるのか

　バッファローからダラスに向かう飛行機の中で、隣の席に座っていた男性が座席ポケットに雑誌をしまい、私のほうを振り向いて、「どんなお仕事をされているんですか」と話しかけてきました。

「結婚カウンセリングです。それに結婚生活向上セミナーで教えています」と私は事務的に答えました。

「実は、ずっと長い間、誰かに尋ねたいと思っていたことがあるんです」。その男性はそう言ってから、「結婚してしまうと、一体愛に何が起きてしまうんでしょう?」と質問してきました。

　昼寝をしようと思っていた私は、それをあきらめる覚悟をして彼に聞き返しました。「どういう意味ですか」

「いえ実はね、私は三度結婚したんです。ですが毎回、結婚する前まではとてもうまくいくのに、結婚してしまうとすべてが崩れていくんです。愛していると思ったのに、そして相手も私を愛してくれていると思ったのに、その愛がすっかり消えうせてしまうんです。私はビジネスにも成功していますし、まずまず知性ある人間だと自分では思っています。しかし、結婚に関してはなぜいつもそうなってしまうのかがわからないんですよ」

「何年ほど結婚しておられたんですか」と私は尋ねました。

「初婚は十年ほど続きました。二度目は三年で、最後のは六年くらいです」

「愛が消えうせたというのは、結婚式の直後ですか。それとも徐々に薄れていったのですか」

「二度目の結婚は、最初からうまくいきませんでした。何がどうなったのか、自分でもよくわかりません。お互いに心から愛し合っていると思ったのに、悲惨なハネムーンで、結局それから立ち直れませんでしたね。付き合ったのは半年で、嵐のようなロマンスでした。エキサイティングな恋愛でした。ところが、式を挙げた途端、結婚生活ははじめから戦争でした。

最初の結婚は、子どもができるまでの三、四年は順調でした。ところが赤ん坊が生まれると、妻は子どもばかりを大事にして、私のことなどどうでもよくなったようでした。人生の唯一の目的は子どもを持つことで、子どもができたら、もう夫など必要でなくなった——。まるでそんな感じでした」

私はさらに尋ねました。「彼女にはそう話しましたか」

「ええ、もちろん言いましたよ。でも妻には、私のほうがどうかしていると言われました。二十四時間の育児をするストレスが、私にはわからないのだと言いました。もっと理解して、もっと助けてくれるべきだって。それで、できるだけ努力してみたんですが、何の変化もありませんでした。私たちの間にはどんどん隔たりができていきましてね。しばらくしたら、何の愛情も残っていなかったというわけです。あったのは、ひっそりとした虚無感だけでした。それでこの結婚はおしまいだと、お互いに同意したんです。

ああ、三度目の結婚ですか。今回は違うぞ、と本当に思ったんですよ。二度目の離婚をして三年経っていました。付き合った期間も二年ありましたしね。ちゃんと理解して結婚に踏み切ったと思ったんです。本当に誰かを愛するということがどういうことなのか、初めてわかったように思いました。彼女も私のことを本当に愛してくれていると感じました。

結婚をしたあとに私が変わったとは思いません。結婚前と同じように、彼女への愛情表現をしたつもりです。彼女がどんなに美しいか、私がどんなに彼女を愛しているかをいつも語って聞かせました。彼女の夫であることを誇りに思うとも言いました。それなのに、結婚して数か月すると、妻はぐちをこぼし始めたんです。最初は、ゴミを出してくれないとか、自分の洋服を片づけないとか、取るに足らないことでした。ところがだんだん、私の人格を攻撃し始めたんです。貞節を疑われて、信用できないとも言われました。妻はまったくネガティブな人間になってしまいましてね。

結婚前は、全然そんなことはなかったんです。こんなポジティブな人間に会ったことがない、というような女性でした。それが彼女に魅力を感じた理由の一つでもあったんです。不満を言うことなど一度もありませんでした。私がすることなら何でも『ワンダフル』だったのに、結婚した途端に私のすることすべてが気に入らなくなった——、そんな感じでした。本当に、何が起こったのかさっぱりわからないのです。ついに私も愛情を失って、彼女に腹を立てるようになりました。妻が私を愛していないことは明らかでした。一緒に住んでいても何もいいことはないと意見が一致して、別れたわけです。

これが一年前の話です。ということで、私の質問は、結婚したあとに何が起こって愛は消えてしまうのか、ということです。私の体験はよくあることなんでしょうか。この国ではたくさんの人が離婚しますが、同じ理由からなんでしょうか。信じられないことに、私にはそれが三度も起こったんですからねえ。

離婚しない人たちは、あの虚無感の中で生活することを学び取った人たちなんでしょうかね。それとも、中には愛が生き続ける結婚もある、ということなんでしょうか。もしそうなら、どうすれば愛を生き延びさせられるんでしょう?」

この座席5Aの男性が投げかけた質問は、今日何千人という既婚者・離婚経験者が問いかけていることでもあります。ある人は友人に、ある人はカウンセラーや牧師に、さらにある人は自分自身にこの質問を投げかけます。答えは時に、理解しがたい心理学の専門用語の中に眠っていることもあります。ユーモアや伝承の中に隠されていることもあるでしょう。冗談やことわざの大半も真理を少しばかり含んでいるものです。しかしそれらのすべては、癌を病んでいる者にアスピリン剤を与えるようなものなのです。

ロマンチックな愛を結婚に求める気持ちは、私たちの深いところに根ざしています。結婚生活に愛を生かし続けることを題材にした記事が、人気雑誌には毎刊必ず一つ二つ掲載されています。それと同じトピックを掲げた本も数多く出ています。さらにはテレビ番組やラジオ番組でも取り上げられます。結婚生活に愛を生かし続けるということは、本当に深刻な問題なのです。

これだけの本や雑誌、いろいろな実践的手引きがあるのに、なぜほんの少数のカップルしかその秘訣を見出せないのでしょうか。講習会に参加し、夫婦のコミュニケーションを高めるすばらしいアイディアを聞いて家に帰るのに、そこで学んだことをまったく実行できない、というのはどういうことなのでしょう？　雑誌で「妻・夫に愛を伝える一〇一のアイディア」という記事を読み、いいなと思う方法を二、三選んで試してみても、伴侶がその努力を認めてもくれないのはなぜなのでしょうか。こうして私たちは、残りの九八のアイディアを試す前にあきらめてしまい、すごすごといつもどおりの生活パターンに戻るのです。

こうした質問に答えることがこの本の意図です。すでに出版されている本や記事が役に立たないわけではありません。ただ問題は、人はそれぞれ異なる愛の言語を語るという基礎的な真理を、それらが見落としていることなのです。

言語学を見ると、そこには日本語、中国語、スペイン語、英語、ポルトガル語、ギリシャ語、ドイツ語、フランス語などの主要言語があります。私たちの大半は、両親や兄弟姉妹の語る言語を学んで育ちます。それが私たちの一次言語（または母語）となります。後に他の言語を学ぶとしても、たいていの場合、それはかなりの努力を必要とする作業になります。こうして後に学んだ言語が二次言語となります。

最も話しやすく、理解しやすいのは、自分にとっての一次言語です。この言語で会話するのが一番楽です。二次言語は、使えば使うほど会話は楽になります。あなたが自分の一次言語しか話せないとして、それと異なる言語を母語とする人に出会ったとします。その人も自分の一次言語しか話せない場合、あなたとその人のコミュニケーションにはかなりの限界が生じます。相手に思いを伝えるためには、指をさしたり、擬音を使ったり、絵を描いたり、あるいは身振り手振りに頼るしかありません。コミュニケーションが持てないわけではありませんが、それはたどたどしいものになるでしょう。このように、言語の相違は、人間の文化にとって重要な事柄なのです。もし文化の境界線を越えて効果的なコミュニケーションを図りたいと願うなら、交流を持ちたい相手の言語を学ばなくてはならないでしょう。

愛についてもこれとまったく同じことが言えます。あなたとあなたの伴侶の愛情表現の言語は、中国語と英語のように、まったく違うものかもしれないのです。英語でどんなに愛情表現の努力をしても、もし相手が中国語しかできないとしたらどうでしょう？　二人は、どのようにお互いを愛したらよいのか、いつまで経ってもよくわからないはずです。

私が飛行機の中で知り合った男性も、「肯定的な言葉」という言語を使って愛を表現していました。彼は三度目の妻に、「彼女がどんなに美しいか、どんなに彼女を愛しているか、語って聞かせました。彼女の夫であることを誇りに思うとも言いました」と話してくれました。彼は愛を語り、それは真心のこもったものだったと思います。しかし彼の言語はまったく妻に通じていませんでした。あるいは、彼女は彼の態度や行動の中にその愛情を探していたのに、そこに何も見出せなかったのかもしれません。たとえ真心がこもっていても、それだけでは足りないのです。効果的な愛のコミュニケーションを持ちたければ、相手の愛の一次言語を学ぼうとする積極的な姿勢が必要なのです。

感情的な愛を表現する言語は、基本的に五つあります。これが三十年間におよぶ結婚カウンセリングを通して私のたどり着いた結論です。これは、人々が感情的な愛を語りまた理解する方法が五通りある、ということです。

言語学の世界においては、一つの言語の中に数多くの方言や言語変異が存在します。同様に、これらの五つの感情的な愛の言語にも、多くの方言があるのです。「妻に愛を示す十の方法」、

「夫を家庭にとどめる二十の方法」、「妻・夫に愛を伝えるアイディア三六五」などという雑誌記事が書かれる理由も、そこにあるのです。しかし基本的な愛の言語が十も二十も三百六十五も存在するのではありません。基本言語は五つだけ、というのが私の意見です。ただしその中にはいくつもの方言があるのです。一つの愛の言語の中に、思いつく限りの愛情表現の方法が存在するのです。問題は、あなたが結婚相手の愛の言語を語っているか、ということです。

これは一般によく知られていることですが、子どもは、発育段階初期に、それぞれ独自の感情パターンを発達させます。たとえば、自尊心が低い傾向に発達する子どももいれば、健全な自尊心を育てていく子どももいます。ある子どもは、不安を感じる感情傾向を発達させますが、他の子どもは安心感を持って成長していきます。愛されている、必要とされている、存在価値を認められている、と感じて育つ子どももいれば、愛されていない、必要とされていない、存在価値を認められていない、と感じて育つ子どももいます。

両親や友人に愛されていると感じて育つ子どもは、彼ら独自の心理的特徴と、両親および身近な人が用いる愛情表現方法に基づいて、自分の感情的な愛の一次言語を発達させていきます。その子は、愛の一次言語を語ることができ、それを理解することができます。後に愛の二次言語を学んだとしても、彼にとって一番語りやすいのは、常に最初に学んだ一次言語でしょう。

両親や友達から愛されていると感じられない子どもも、愛の一次言語を発達させていきます。

しかし間違った文法を使ったり、語彙に乏しい子どもがいるように、愛されていると感じられない子どもの愛の言語には、多少のゆがみができるのです。最初の環境が悪いからといって、うまいコミュニケーションが取れる人間になれないというわけではありません。しかしながら、うまくコミュニケーションを取れるようになるためには、ポジティブな手本を持っていた子どもに比べると、さらに懸命な努力を必要とすることは確かです。感情的な愛を充分に感じることなく育った子どもたちも、愛を感じることも、愛を伝えることもできるようにはなります。しかしそのためには、健全な愛情深い環境で育った子どもたち以上に、さらなる努力をしなければならないのです。

夫と妻が同じ感情的な愛の一次言語を持つケースは稀です。多くの場合、私たちは自分自身の愛の一次言語を使って相手に愛を伝えようとします。そしてそれを配偶者が理解してくれないことに困惑するのです。愛情表現をしているのですが、相手にとっては外国語である言語を使って話しているので、メッセージが伝わらないのです。ここに根本的な問題があります。

この本の目的は、この問題に一つの解決策を提供することです。これが、愛についての本をあえてまた一冊、世に送り出す必要があると私が思った理由なのです。ひとたび五つの基本的な愛の言語を知り、自分の愛の母語と配偶者の愛の母語を理解すれば、他の本や雑誌にあるアイディアを応用するのに必要な基礎情報を得たことになるのです。

結婚相手の愛の一次言語を見つけ出すこと、そしてそれを話せるようになることが、末永く愛情に溢れた結婚生活を送る鍵です。「結婚したら愛が消えてなくなった」などと嘆かなくてもいいのです。ただし、ほとんどの結婚生活において、愛を生かし続けるためには二次言語を学ぶ努力が必要になります。結婚相手が私たちの愛の一次言語を理解できないのなら、その言語に頼ることはできません。相手に愛をわかってほしいならば、相手の愛の一次言語で愛を表現しなければならないのです。

第2章　「ラブタンク」を満タンにする

愛という単語は、英語の中で最も大切な言葉であり、また私たちを最も混乱させる言葉でもあります。愛が人生において中心的役目を果たすことは、世俗思想家と宗教思想家の両者が同意するところです。「愛には多面の輝きがある」とか「愛は世界を動かす」などとも言われます。また愛という言葉は、何千という本、歌、雑誌、映画の中にちりばめられています。さらには、おびただしい数の哲学的・神学的思想体系が愛に特別な位置づけをしています。キリスト教の礎であるイエス・キリストも、ご自分の弟子たちが愛という特徴によって見分けられることを望みました（ヨハネ一三・三五参照）。

「愛されていると感じたい」という欲求は、人間の基本的な感情的・心理的必要であると心理学者らは断言しています。愛のためなら、私たちは山を越え、海を渡り、砂漠を横断し、数え切れない苦難にも耐えることができます。しかし愛がなければ、山は越えることのできない障害、海は渡ることのできない果てしない広がりとなり、砂漠の横断は耐えがたく、苦難は人生の窮地でしかないのです。

異邦人へキリストを伝えた使徒パウロは、人のなすことのうち、愛が動機でないものは、すべて結局のところ無意味であると言いました。そう言って、彼は愛を賞賛したのです。人間ドラマの最後のシーンに残る役者は三者のみ。「いつまでも残るものは信仰と希望と愛です。その中で一番すぐれているのは愛です」(Ⅰコリント一三・一三)とパウロは書いています。

昔も今も、愛という単語は私たちの(訳注・特に英語圏の)社会に深く浸透しています。それゆえに、この言葉は混乱を招くのです。私たちはLOVE(愛)という単語をあらゆる場面で使います。「I love hot dogs.」(「私はホットドッグが大好き」)と言った次の瞬間に「I love my mother.」(「私は母を愛している」)と言うような具合です。水泳やスキー、狩りが好きだと言う場合にもLOVE(愛する)という言葉を使います。食べ物や車や家、さらには、犬やネコやペットのカタツムリを好きだと言う時にさえLOVE(愛)を使います。木々や草花や天気などの自然をもLOVE(愛)します。そしてもちろん、母、父、息子、娘、恋人、妻、夫をLOVE(愛)します。私たちは、LOVE(「愛する」)という言葉自体に恋をしているのではないかと思うほどです。

それだけでも充分混乱を招いているというのに、その上、行動や振舞いを弁解する時にも、よく愛という言葉を用います。「彼女を愛しているから、そうしたんだ」。そう言って、あらゆる行動の言い訳をするのです。ある男性は不倫をしておいて、相手を「愛している」のだと弁解します。しかしそのような行動は、説教者に言わせれば「罪」なのです。アルコール依存症者の妻は、夫が酔って引き起こした事態の後始末を何度もやっては、それを「愛」だと言います。しかし心理学者なら、それを「共依存関係」と呼ぶでしょう。子どもにやりたい放題をさせて甘やかし、それを「愛」だという親がいます。しかし家族療法士なら、それは「無責任な子育て」だと言うはずです。

それでは、愛のある態度・行動とは、一体何なのでしょうか。

愛という単語を取り巻くすべての混乱を取り除くのが、この本の目的なのではありません。心の健康に不可欠な愛に焦点を当てることが目的です。児童心理学者は、子どもは、ある特定の基本的な感情的欲求が満たされない限り、感情的に安定できないと言っています。必要最低限の感情的欲求の中でも、愛情の欲求、すなわち、誰かに属したい・必要とされたいという欲求ほど、基礎的なものはないのです。

充分な愛情を注がれて育つ子どもは、責任感のある大人に成長していくことができます。しかし愛情を受けずに育つと、その子は感情的、社会的成長を阻害されます。

子どもや青少年を専門に治療している心理学者ロス・キャンベル博士はこう説明します。「子ども一人一人の内側に、愛で満たされるのを待っている『感情タンク』がある。子どもが愛を感じる時、その子は正常に成長するが、愛のタンク（love tank）が空だと、その子の振舞いには問題が出てくる。子どもの問題行動や非行のほとんどは、この空の『ラブタンク』から来る飢え渇きに動機づけられている」

私はキャンベル博士の話を聞きながら、それまでに私のオフィスを訪れ、子どもの悪行の数々を延々と並べ立てた何百という親たちのことを思い浮かべました。その時まで、子どもたちの中に空の「ラブタンク」を想像したことなどありませんでした。しかし私の見てきたものは、確かに空のタンクが引き起こした結果だったのです。子どもたちの悪行は、感じることのできない愛を、間違った形で捜し求めた結果だったのです。見当違いの場所に的外れのやり方で、愛を求めていたのです。

性病の治療を受けていたアシュリーという十三歳の少女がいました。彼女の両親は、その事実に打ちひしがれて怒っていました。彼らは学校に対しても腹を立て、「娘にセックスを教えたのは学校だ」と非難しました。そして「どうして娘はこんなことをしたのか」と頭を抱えていたのです。

アシュリーの両親は、彼女が六歳の時に離婚しました。その時のことを、彼女は私にこう語ってくれました。「私は、お父さんは私を愛していないから家を出たんだ、と思いました。お母さんは私が十歳の時に再婚しました。その時、『お母さんにはお母さんを愛してくれる人ができた。でも私を愛してくれる人はいないんだ』って思ったんです。どうしても誰かに愛してほしかった。

その男の子とは学校で知り合いました。私より上級生だったけど、私のことを好いてくれたんです。信じられなかった。とても優しかったんです。しばらくして、本当に私のことを愛してくれていると思うようになりました。セックスしたくはなかったけど、愛されたかったんです」

アシュリーの「ラブタンク」は、長い間ずっと空っぽだったのです。彼女の母親と義父は、物質的な必要は満たしてくれましたが、彼女の内側に吹きすさぶ深い感情的葛藤に気づいてあげることができなかったのです。彼らは親として、アシュリーを確かに愛していました。そして「娘もその愛を感じている」と思っていたのです。ところが、彼らはアシュリーの一次言語で愛を語っていなかったのです。それがわかったのは、もう手遅れかもしれないというところに来てからでした。

愛されたいという願望は、単に幼児期にだけ起こる現象ではありません。この欲求は、成人期そして結婚生活に入ってからも、私たちについてまわります。恋愛という体験が、その必要を一時的には満たしてくれます。これに関しては後ほど詳しく述べますが、結局のところそれは応急処置でしかありません。ですから必然的に寿命の短いものです。「恋する」ことに夢中になった熱が冷めてくると、愛を求める感情的欲求がまた再浮上してきます。それはこの愛の欲求が、私たちの存在の本質的なところから来るものだからです。これは、私たちの感情的欲求の中心なのです。私たちは、「恋する」以前に愛を必要とし、生き続ける限り愛を必要としていくのです。

「配偶者に愛されていることを感じたい」。この思いは、夫婦間に存在する様々な欲求の中心です。最近、ある男性が私にこう言いました。「家や車や海辺の別荘があっても、妻に愛されていないなら、何の意味もない」。この男性が言っていることがわかりますか。彼は「何よりも、妻に愛されたい」と言っているのです。物質は、人間の感情的な愛の代わりにはならないのです。

ある女性は自分の夫について、「一日中私のことを無視しておいて、夜になると一緒に布団に飛び込みたがる。それがとても嫌なんです」と言いました。彼女はセックスを嫌がっているのではありません。感情的な愛を心の底からほしがっているのです。

私たちは本質的に、他人に愛されることを必要としています。孤独は人間の精神を破壊します。独房監禁が最も残酷な刑罰だとされているのもそのためです。人間の存在の中核には、他人と深く親密な関係を持ちたい、他人に愛されたい、という欲求があるのです。

結婚は、この親密な愛への欲求を満たすようにとデザインされています。ですから、夫と妻は「一体となる」と聖書に書かれているのです。これは、夫と妻が独自性を失う、という意味ではありません。二人がお互いの人生・生活に入って関わり、深く親密な関係を結ぶ、という意味なのです。

新約聖書の著者たちは、互いを愛するようにと夫と妻の両者を励ましました。哲学者プラトンから現代心理学者ペック博士まで、様々な著述家が夫婦の愛の重要性を強調しています。

愛は重要です。しかしながら同時につかみどころのないものでもあります。私はこれまでに、たくさんの夫婦が語る隠された痛みの話を聞いてきました。内なる苦痛に耐えられなくなって私の所に来た人もいます。自分自身または配偶者の行動パターンが、結婚生活にとって破壊的であることに気づいて、私を訪ねてきた人もいます。もう結婚生活を続けたくないと、単に告げにきた人もいます。

彼らの「末永く幸せに」という夢は、現実という固い壁にぶち当たって砕かれてしまったのです。「以前は親しさを感じていたけど、今はそうでなくなった。もう一緒にいても楽しくない。お互いのニーズに応えられない」。こういった言葉を、幾度となく聞いてきました。彼らのこうした話は、子どもだけでなく大人も「ラブタンク」を持っているという事実を物語っています。

痛み・苦しみを抱えている夫婦の心の奥には目に見えない空っぽの「感情的ラブタンク」があるのではないでしょうか。無作法、心を閉ざした退却的な態度、とげとげしい口調、批判的な言葉などのすべてが、空のタンクが原因で起こっているのだとしたらどうでしょう？　もし「ラブタンク」をいっぱいにする方法を見つけることができたら、その夫婦はもう一度やり直すことができるでしょうか。「ラブタンク」が満タンになれば、その夫婦はお互いの相違点を話し合い、問題を解決していける関係を作り出すことができるでしょうか。もしかすると、このタンクが結婚生活の成功の鍵なのではないでしょうか。

こうした問いかけが、私が長い探求の旅を始めるきっかけとなりました。その旅路で洞察することのできたシンプルかつパワフルな事実が、この本の内容です。

この探求は、私を三十年におよぶ結婚カウンセリングの道へと導いてくれただけでなく、アメリカ全国に住む何百というカップルの心や思いの奥深くにも導いてくれました。シアトルからマイアミまで、たくさんのご夫婦が結婚生活の奥の間に私を招き、心を開いて語ってくれました。この本に出てくるエピソードは、現実に起こった出来事です。ただ心の内を率直に語ってくれた方々のプライバシーを守るために、名前と地名だけは変えています。

車にはオイルを切らさないことが大切であるように、結婚生活には感情的な愛のタンクを満タンに保つことが大切である、と私は確信しています。「ラブタンク」を空にしたままで結婚という車を走らせようとすれば、オイルを切らした車を運転するより大きな犠牲と損失をもたらすことでしょう。

あなたがこれから読もうとしているこの本は、多くの結婚を救う可能性を持っています。また、すでに充実している結婚生活における感情的環境を一層よいものにできる内容でもあります。あなたの夫婦関係がどのようなものであっても、それはいつでも、もっとよくなる可能性を持っているのです。

警告：あなたが五つの愛の言語を理解して、配偶者の一次言語を学んで語り始める時、相手の態度や行動に革命的な変化が起こるでしょう。人は、感情的な愛のラブタンクが満タンになる時、それまでと違った行動を取るようになるものです。

五つの愛の言語を吟味する前に、取り扱っておくべき重要な事柄が一つあります。それは、私たちを困惑させる「恋に落ちる」という感情的な陶酔・高揚です。まずはこれについて考えてみましょう。

第3章　ようこそ、結婚という現実へ

ジャニスはその日、予約なしに私のオフィスにやってきました。五分でいいから会いたいというのです。結婚暦のない三十六歳のジャニスとは、カウンセリングを始めてからかれこれ十八年にもなる付き合いでした。その間の彼女の異性関係といえば、六年間付き合った男性が一人、三年間付き合った男性が一人、そのほかにも短期間交際した男性も数人いました。彼女は、たまに予約を入れては、その時に付き合っている男性との間に起こっている問題を相談しに訪ねてきました。

ジャニスは生来、まめな性格の女性で、誠実でしっかりしていて、それに思いやりのある親切な人でした。ですから予告なしに突然オフィスに現れるなど、彼女らしくない行動だったのです。(ジャニスが予約を入れずにオフィスに来るとは、よほどの危機が起こったに違いない)と私は思って、彼女をオフィスに通すようにと秘書に言いました。私の予想は、(彼女はオフィスのドアを開けて入った途端にワッと泣き出すに違いない。どんな惨事が起きたのかを涙ながらに語るんだろう)というものでした。ところが彼女は興奮した笑顔で、スキップでもするかのようにオフィスに入ってきました。

「やあ、ジャニス。調子はどう？」と私は尋ねました。

「最高です！」彼女はそう返事をしました。「こんなに気分がいいのは生まれて初めて。先生、私、今度結婚するんです！」

「えっ結婚？」私は驚きをあらわにして尋ねました。「誰と？　いつ？」

「デイヴィッド・ギャレスピーと、九月に」。彼女は叫ぶように答えました。

「それはすごい。どのくらい付き合った相手なの？」

「三週間。どうかしてるってことは充分わかってます。今までに何人もの人と付き合って、結婚の直前までいったことも何度かありました。でも自分でも信じられないんですけど、デイヴィッドが私にとってたった一人の相手だってわかるんです。最初のデートで二人とも『この人だ』って思ったんですよ。もちろんその日に結婚の話をしたわけじゃないけど、一週間後には彼からプロポーズされたんです。彼に聞かれるなって感じてました。それに自分が承諾することもわかっていたんです。ああ、チャップマン先生、こんな気持ちになったのは初めてです。先生は、私の今までの異性関係もいろいろと通ってきた困難や苦労もご存知です。付き合うたびに、いつも何かが違うって思ってました。結婚することに平安を感じられる相手はいなかったんです。でもデイヴィッドに会って、運命の相手だってわかったんです」

ジャニスは座っている椅子を前後に揺り動かしながら、「普通じゃないってわかってます。でもとっても幸せなんです。こんなに幸せな気分は生まれて初めてなんです」と言って、クスクスと笑いました。

さて一体ジャニスに何が起こってしまったのでしょう? 彼女は恋に落ちたのです。彼女の頭の中では、デイヴィッドが今までで最もすてきな男性、非の打ち所のない文句なしの相手なのです。夫にするには最高の相手、理想的な男性なのです。彼女は彼のことを一日中考えて夢中になっています。

デイヴィッドがそれまでに二度も離婚をしていること、三人の子どもを抱えていること、その前の年に三度も職を変えていることなど、ジャニスにとっては取るに足りない些細なことなのです。彼女は幸せで、これからもデイヴィッドと永遠に幸せでいられると信じています。実に彼女は恋をしているのです。

私たちのほとんどは、「恋をする」という経験を通して結婚に至ります。ある時、心の中にある愛のアラームに衝撃を与える体型的特徴や性格的特質を持った人に出会ったとします。するとアラームのベルが鳴り出し、その人をもっとよく知るための行動を開始するのです。たとえば、その第一歩として、その人と一緒に食事をしに出かけます。ハンバーガーやステーキなど予算によって食べる物は違ってくるでしょうが、何を食べるかはどうでもいいのです。胸の奥に感じるこの温かい胸のうずきが本物かどうか、それを知るために愛の探求を始めるのです。

最初のデートで胸のドキドキが消えうせてしまうこともあります。彼女がタバコを吸うことを知って、胸のうずきが足の先からすっと抜けていき、それが彼女との最後のハンバーガーとなるのです。ところがハンバーガーのあとに、ときめきがさらに強くなる場合もあります。その後に何度か時間を共に過ごしてみて、胸の高鳴りも一段と増すと、まもなく「僕、恋をしてるみたい」という地点に到着します。やがてその気持ちが「本物」だと確信すると、相手も同じ思いであることを願いつつ、自分の思いを告白します。もし相手が同じ気持ちでなければ、関係は少し冷えるか、またはもっとよい印象を与えるために倍の努力をして、最終的に相手の愛情を手に入れることになります。

もし相手も同じ気持ちを抱いていたとなれば、結婚することを考え始めるのです。これは、恋愛はよい結婚に必要な出発点だ、と誰もが認めているからです。

恋愛体験のピークは、極度の幸福です。感情が高まり、お互いのことが頭から離れなくなります。お互いに相手のことを思いながら眠りにつき、翌朝目が覚める時に最初に思うのも相手のこと。一緒にいたいと切に願い、共に過ごす時間は、嬉しくて天にも昇る思いです。手をつなぐと、二人の血が通い合うような親しさを感じます。学校や仕事に行かずにすむなら、いつまでもキスしていることでしょう。抱きしめ合う時には、相手との結婚やエクスタシーを夢見るのです。

恋愛のただ中にいる人は、相手がまったく理想の人に見える幻覚に陥ります。彼の母親には相手の女性の欠点がはっきりと見えるのに、彼には見えないのです。母親は、「あなたね、彼女は精神病治療を五年も受けているのよ」と言いますが、彼は「母さん、よしてくれよ。もう治療は三か月も前にやめてるんだから」と答えます。彼の友人たちにも彼女の欠点が見えますが、実際に彼にそれを忠告する人はおそらくいないでしょう。彼に尋ねられたら答えるでしょうが、本人は相手の女性を完璧だと思っているし、他人の意見などどうでもいいことなので、尋ねることもしないでしょう。

結婚前に私たちが夢見るのは、この上なく幸せな結婚生活です。「自分たちは、お互いを最高に幸せにするんだ。口論したり喧嘩したりする夫婦もいるけど、自分たちはそんなことはしない。本当に愛し合っているんだから」と思うのです。もちろん、まったくのうぶというわけではないので、二人の間にやがて食い違いも出てくるだろうと頭ではわかっています。しかし、その違いは二人で率直に話し合って、どちらかが進んで相手に譲って意見の一致に達することができるだろう、と信じているのです。恋愛をしている時は、それ以外、想像できないのです。

私たちは、「もし本物の恋愛ならば、それは永遠に続くのだ」と思いこまされています。今感じるこの幸福感はいつもまでも続くのだ、誰にも何にも私たちを引き裂くことはできない、と思うのです。相手の美しさに魅了され、相手の個性的な魅力に心奪われます。自分たちの愛は、今まで経験したことのない最高にすばらしいものだ、と感じるのです。そういった気持ちを失った既婚者カップルがいることは認めても、「私たちにはそういうことは絶対に起こらない。彼らの恋愛は本物じゃなかったんだ」と考えるのです。

あいにく、「恋する」経験の永遠性というものはフィクション（作り事）です。心理学者ドロシー・テノフ博士は、恋愛という現象について長期にわたる研究を行ないました。多数の恋愛カップルについて調査研究した結果、恋愛から来る執着心の平均寿命は二年である、という結論を出しました。もしそれが秘密の情事なら、もう少し長く続くかもしれませんが、それでも最終的には有頂天の雲の上から降りてきて、再び現実という地上に足をつけることになります。

目が開かれ、相手のあばたが見えてくるのです。個性だと思ったことが、実は苛立ちを感じさせられるものであったことに気づきます。さらには、相手の行動パターンが気にさわりはじめます。彼（もしくは彼女）には、きつい言葉を吐いたり、難くせをつけて人を傷つけたり、ささいなことで怒ったりする素質があることが見えてきます。恋愛の最中には見落としていた小さな人格的な特徴が、今や大きな山となって私たちの前に立ちはだかるのです。そうして以前、母親が言っていた警告の言葉を思い出し、「自分は一体何を考えていたんだろう」と思うわけです。

さあ、結婚という現実の世界へようこそ。ここは、洗面所の流し台にいつも髪の毛が落ちていて、鏡には歯磨き粉のこびりついた白い点が散らばっている世界です。ここでは、トイレットペーパーが上向きに回るべきか下向きに回るべきか、洋式トイレの蓋は閉めておくべきか開けておくべきかで口論が始まります。この世界では、靴は自分で靴箱に歩いていってくれないし、引き出しはひとりでに閉まってくれません。洋服も勝手にハンガーにかかってくれないし、靴下は、洗濯すると無言で消えてしまうのです。ここは、顔つき一つで妻を傷つけ、言葉一つで夫をたたきのめし、親密な恋人たちが敵と変わり、結婚生活が戦場となってしまう世界なのです。

本物だと思った恋愛体験に、一体どんな変化が起こってしまったのでしょうか。実は、悲しいことに、もともと幻覚に過ぎなかったのです。その幻覚の中にあって、幸か不幸か結婚に同意し、署名してしまったわけです。なるほど、道理で多くの人々が結婚を呪い、一度愛した相手をののしるようになるわけです。だまされていたのなら、怒りたくなるのも当たり前です。しかし、私たちが実際にしていたのは、「本物」の恋愛だったのでしょうか。本物だった、と私は思います。問題は、それが誤った情報に基づいていたことです。

誤った情報とは、恋愛中の高揚感・至福感が永遠に継続する、という考えです。そのことについて、もっと分別を持って考慮してみるべきでした。もし本当に皆が恋愛の熱にうかされ続けたら、深刻な社会問題になるでしょう。ビジネス、産業、教会、教育、その他すべての社会生活を脅かすものになります。なぜなら、恋愛中の人々は、そのほかのすべての物事に興味を失ってしまうからです。だから、「恋のとりこになる」という表現をするのです。

まっさかさまに恋に落ちてしまった大学生は、どんどん成績が落ちていきます。恋をしている時には勉強するのが難しいのです。次の日に一八一二年英米戦争についてのテストがあるとしても、一八一二年戦争なんかどうでもいいことなのです。恋に落ちると、ほかの何もかもが重要でなくなってしまうのです。

ある男性はこう言いました。「チャップマン先生、僕の仕事はもうボロボロです」

「どういう意味?」と私は尋ねました。

「僕はある女性に出会って、恋に落ちてしまいました。それ以来、何も手につかないんです。仕事にも集中できなくて、一日中彼女のことばかり考えてしまいます」

恋愛中の幸福感は、相手と親密な関係ができたような錯覚を起こさせます。お互いをふさわしい相手と感じ、どんな問題も乗り越えることができると信じています。それにお互いが、相手を第一に考えることができると思うのです。ある若い男性は、「彼女を傷つけるようなことをするなんて、想像もできません。僕の唯一の願いは、彼女を幸せにすることです。彼女が喜ぶことなら何でもします」とフィアンセに対する気持ちを語りました。こういった恋愛妄想は、私たちの内にある自己中心が完全に消え去ってしまったかのような錯覚を起こさせます。恋人のためなら何でも進んでする、まるでマザー・テレサのような人間になったかのような勘違いをするのです。

惜しげもなく相手に与えることができる理由は、恋人も自分に対して同じ思いを抱いていると信じているからです。そして、相手もこちらのニーズに応えようと献身している、こちらが抱いている愛と同じ愛を抱いてくれている、私を傷つけるようなことは決してしない、と信じているからです。

しかしながら、そのような考えは空想にすぎません。私たちの思うこと、感じることが、誠意のない偽りだと言っているのではありません。ただ非現実的だと言っているのです。人間の本能という現実を見落としています。私たちは生まれつき自己中心です。世界は私たちを中心に回っていると思っています。ですから完全に利他的な人など一人もいません。「恋する」体験の幸福感が、その錯覚を与えるだけなのです。

「恋に落ちる」体験をそのまま自然の成り行きにまかせると、私たちは次第に現実の世界に戻って、また自己主張を始めます（恋愛体験の平均寿命は二年ということを思い出してください）。彼は自分の願いを表明しますが、それは彼女の願いと違っています。夫はセックスを求めますが、妻は疲れていてそんな気にはなれません。夫は新しく車を買いたいと思いますが、妻は「とんでもない！」と受け入れてくれません。妻は両親を訪ねたいのに、夫は「おまえの実家にはあまり行きたくない」と言います。夫はソフトボールのトーナメントに参加したいのですが、妻は「私よりもソフトボールのほうが大事なの！」と非難します。

こうやって少しずつ、親密感という幻想が消えていき、それぞれの欲求、感情、思考そして行動パターンが頭をもたげてくるのです。夫と妻は別々の存在であり、二人の心は一つになっていません。二人の感情は、恋愛という海の中で一時的に合流したにすぎなかったのです。そうして今、現実という荒波が彼らを引き離し始めたのです。

こうして、恋に落ちた二人は恋から転げ落ち、残された道は次のどちらかです。すなわち、心を閉ざし、別居し、離婚をして、新たな恋愛体験を求めて出発するか、それとも、恋愛の高揚感がなくなってもお互いを愛することを学ぶために、懸命な努力を始めるかの、二つに一つです。

精神分析医M・スコット・ペックや心理学者ドロシー・テノフなどの研究家たちは、恋愛体験は「愛」と呼ばれるべきではない、と断言しています。テノフ博士は、真実の愛と恋愛体験を区別するために、「リメランス」（limerance・強烈に魅了されてのぼせあがった恋愛初期に起こる心理状態）という新語を造りました。

またペック博士は、「恋に落ちる」体験が真実の愛ではない理由を三つ挙げています。第一に、「恋に落ちる」体験は、意思の行為でも意識的な選択でもないということです。どんなに恋に落ちたいと願っても、それを引き起こすことはできません。一方、恋愛を求めていなくても、それは不意に起こってしまいます。時ならぬ時に思いがけない人と恋に落ちてしまう、というのはよくあることです。

第二に、本当の愛とは違って、「恋に落ちる」ことは努力を要しません。恋愛中の行動は、それが何であっても、意識的な努力や訓練をほとんど必要としません。長距離電話にかかる電話代も、遠距離恋愛にかかる交通費も、贈り物も、相手のためにしてあげるどんなことも、何でもないへっちゃらなことです。鳥が本能に駆り立てられて巣作りするように、私たちは恋愛の本能に駆り立てられて、相手のために思いがけない行動をするのです。

第三に、恋をしている人は、相手の個人的成長を励ますことには、深い関心を持っていません。「恋するのに何らかの意図があるとすれば、孤独に終止符を打ち結婚によって生活を確かなものにすることである」(『愛と心理療法』M・スコット・ペック著　創元社)とペック博士は言っています。とにかく「恋する」体験は、私たち自身の成長にも相手の成長や発展にも焦点をおいていません。むしろ、「すでに到着した」、「これ以上の成長は必要ない」という感覚を与えるのです。人生における幸福の絶頂にあるのですから、唯一の願いはそこにとどまることだけなのです。それに、恋人は完璧なのですから、成長する必要などまったくありません。そのまま完璧でいてくれることを望むだけです。

もし「恋に落ちる」ことが真実の愛でないとすれば、それは一体何なのでしょうか。ペック博士はこう言います。「その現象のもつ性的特性から考えて、交配行動の遺伝的にきめられた本能的な要因と推測される。換言すると、恋を成り立たせる自我境界の一時的崩壊は、内的な性衝動と外的な性的刺激という状況に対する人間の固定した反応で、それが、種の存続を高めるための性的結合の可能性を増すのに役立っているのである」（前掲書）。

この説に賛成する・しないは別として、私たちは恋愛体験により、それまで知らなかった感情の軌道に突然乗せられてしまいます。これは、恋に落ちたことのある人なら、誰もが認めるところでしょう。

「恋に落ちる」ことは、私たちの理性をくもらせ、冷静な時には絶対にしないようなことをさせ、言わないようなことを言わせます。その証拠に、感情的な熱狂状態から冷めてくると、「なぜあんなことまでしたのだろう」と不思議に思うのです。感情の波が静まり、相手との相違点が照らし出される現実の世界に戻ってくると、多くの人が「何についても意見が一致しないのに、どうして私たちは結婚したのだろう？」と思うものです。それなのに、恋愛の頂点にいた時は、すべてにおいて、少なくとも大切なことすべてにおいては、一致していると思ったのです。

それでは、恋の幻覚の中で結婚した私たちは、どんな選択を迫られているのでしょうか。（一）配偶者と惨めな一生を過ごす運命を受け入れる、または（二）今の結婚から脱出して再婚してみる、という二つの選択肢しかないのでしょうか。

先の世代の人々は前者を選んだものですが、私たちの世代は後者を選んでいます。私たちのほうがよりよい選択をしていると決めてかかる前に、実際のデータを吟味する必要があります。まず現在米国では、初婚の四十パーセントが離婚に終わっています。そして、二度目の再婚の六十パーセント、三度目の再婚の七十五パーセントも、同じ結末を迎えています。ですから、二回目、三回目には幸せな結婚ができるという見通しは、どうも現実的ではないようです。

ところが調査によれば、さらにすぐれた三つ目の新しい選択肢があるようです。それは、恋愛体験のありのままの姿、すなわち、それが一時的な感情高揚であることを認識した上で、結婚相手との「真実の愛」を追求することなのです。このタイプの愛は、本来、感情的なものではありますが、妄想的ではありません。理性と感情を一体にした愛なのです。この愛は意思の行為を伴い、自制を要し、人間として成長することの必要性を認める愛です。

人間の最も基本的な感情的欲求は、恋に落ちることではなく、心から愛されることです。そして本能ではなく、理性と選択から生じる愛を知ることです。私たちが本当に必要としていること、それは、私たちを愛することを選んでくれる人、私たちの内に愛に値するものを見出してくれる人に愛されることなのです。

そのような愛は、努力と献身を必要としています。これは、相手の益になるためにエネルギーを費やすことを選ぶ愛です。あなたの努力によって相手の人生が豊かになり、そうすることであなた自身も満足感を得ることを理解している愛です。他人を心から愛するという満足感があるのです。この愛は、「恋する」という幸福感を必要としません。それどころか、「恋をする」体験が自然の経過をたどって消えて無くなるまで、この真実の愛は生まれてこないのです。

私たちは、恋の熱に浮かされている間、親切で寛容なことをいろいろと行ないます。しかしそれを誇ることはできません。なぜなら、その時は、本能の力によって通常の行動パターンを越える行為へと突き動かされていたからです。意思の力で選択する現実の世界に戻って、そこで親切で寛容であることを選び取るなら、それは真実の愛です。

愛の感情的欲求が満たされなければ、心の健康を手に入れることはできません。多くの既婚者たちが、配偶者からの優しさと愛情を感じたいと切望しています。私たちは、夫や妻が私たちを受け入れてくれ、愛してくれ、私たちの幸せに気を配ってくれていると確信した時に、安心するのです。恋愛の段階でもそういった感覚を持っていました。その感覚が続いている間はよかったのですが、それが永遠に続くと思ったのが間違いでした。

恋の熱に浮かされる状態は、永遠に続くように意図されたものではありません。それは、結婚という本の序論でしかなかったのです。そしてその本の核心は、理性ある意思的な愛なのです。意識的に相手に捧げる愛。これが、賢人たちが常に私たちに求めている愛です。

このことは、恋愛感情を失ってしまった既婚者カップルにとってはグッド・ニュースです。もし愛が選択の行為なら、恋の絶頂感がなくなって現実に戻ったあとも、愛することができるのです。この種の愛は、私たちの心構え・考え方から始まります。愛とは、「僕は君と結婚している。だから僕は、君にとって大切なことに心を配る。僕はそうすることを選ぶ」という態度です。そう決めて初めて、その愛の決心を表現する適切な方法が見えてくるのです。

ここで、「でも、なんだかつまらなさそう」と不満を感じる人がいるかもしれません。「しかるべき行動をする心構えが愛だって？　きらめく流れ星や風船はどこに消えたの？　胸の高鳴りやウキウキした期待感や目の輝きは？　キスの衝撃やセックスの興奮は？　相手にとって一番大切な存在だっていう安心感はどこへ行ってしまったの？」と言う人もいるでしょう。

こういった問いに答えるのがこの本です。お互いが持っている「愛されていると感じたい」という深い感情欲求に、どうしたら応えることができるのでしょう？　もしそれを学んで実行できたら、恋にのぼせた状態で経験したものより遥かにエキサイティングな愛を体験することになるでしょう。

私は結婚セミナーや個人的なカウンセリング・セッションで、この五つの感情的な愛の言語について長年話をしてきました。何千組というカップルが、あなたが読もうとしているこの本の内容の持つ効力について証言しています。一度も会ったことのない人々からもたくさんの手紙をもらいました。ある人は、「先生の愛の言語についてのカセットテープを友人が貸してくれました。それを聞いて、結婚生活に大革命が起こりました。私たち夫婦は、お互いを愛そうと何年も努力してきました。でもいつも感情的にすれ違っていたんです。しかし今、相手に合った愛の言語を語るようになり、感情的コミュニケーションも驚くほどに改善されました」と書き送ってくれました。

　あなたの結婚相手の感情的な愛のタンクが満タンになると、相手はあなたの愛に安心感を覚えて、世界が明るくなり、潜在能力を最高に発揮することができるようになります。逆に愛のタンクが空っぽだと、利用されているように感じ、世界は暗くなり、自己の可能性を高めることなどできません。

　このあとの五つの章で感情的な愛の五つの言語を紹介します。その後、配偶者の愛の一次言語を発見し、あなたの愛の努力を最も効果的なものにするにはどうしたらいいかを第九章で説明します。

第4章　第一の愛の言語――「肯定的な言葉」

かつて作家のマーク・トウェインは、「上手なほめ言葉を糧にして二か月は生きていける」と言いました。その言葉を真に受ければ、一年に六つのほめ言葉を聞けば、トウェインの感情的な「ラブタンク」は生活可能なレベルに保たれることになりますが、あなたの夫や妻は、それ以上を必要としているはずです。

愛情を表現する一つの方法は、相手を建て上げる好意的な言葉を語ることです。古代ヘブライ知恵文学の著者ソロモンは、「死と生は舌に支配される」（箴言一八・二一）と書きました。しかしながら、多くの既婚者カップルが、配偶者を励まし肯定する言葉の持つ巨大な力に、まったく気づいていません。ソロモンは、「心に不安のある人は沈み、親切なことばは人を喜ばす」（箴言一二・二五）とも語っています。

称賛や感謝の言葉は、愛の偉大な伝達手段です。なかでも、気持ちを素直にシンプルに表現する言葉が最も効果的です。たとえば、「スーツ姿、決まってるわね」、「おお、そのドレス、似合うなあ」、「君は世界一じゃがいも料理がうまいよ。これ、すごくおいしい」、「今夜はお茶碗を洗ってくれてありがとう。とっても嬉しかったわ」、「今夜のおでかけのためにベビーシッターを探してくれてありがとう。当たり前だなんて思ってないわ。すごく感謝してる」、「ゴミを出してくれて本当にありがとう」などのような言葉です。

さて、夫婦がこのような肯定的な言葉を頻繁に耳にするようになったら、二人の夫婦関係にどのような変化が起こるでしょうか。

数年前のある日、私がオフィスのドアを開けたままで仕事をしていると、廊下を一人の女性が歩いてきてひょっこり顔を出しました。

「先生、今ちょっとお時間ありますか」

「いいですよ。どうぞ入ってください」

彼女はオフィスの椅子に腰かけてこう言いました。

「チャップマン先生、相談にのっていただきたいんです。実は、うちの主人がどうしても寝室のペンキ塗りをしてくれないんです。塗ってくれと頼み始めて丸九か月になります。思いつく限りいろんな手を尽くして頼んでみましたが、どうしてもやってくれません」

私は塗装業者ではありません。初めはちらりと、（この女性は来る場所を間違えているのではないか）と思いましたが、「もっと詳しく話してみてください」と促しました。

「そう、先週の土曜日なんかいい例です。すごく天気のいい日でしたよね。うちの主人、一日中何をしていたと思います？　洗車とワックスがけです」

「それで？」

「それで、外に出て行って主人に言ったんです。『ボブ、ちっとも理解できないわ。今日なんか寝室のペンキ塗りに最高の日じゃない。それなのに、車なんか洗って、ワックスまでかけて』」

「それを聞いて、ご主人は寝室のペンキ塗りをしてくれましたか」

「いいえ。もう、どうしたらペンキ塗りをしてくれるのか、お手上げ状態です」

「ちょっと質問をさせてください。あなたは、車がきれいに洗車されて、ワックスがけされるのが嫌ですか」

「嫌じゃありません。でも、私は寝室にペンキを塗ってほしいんです」

「あなたが寝室にペンキを塗ってほしがってること、ご主人はちゃんとご存知ですか」

「はい、完全にわかってます。塗ってくれともう九か月間も言い続けてるんですから」

「では、もう一つ質問しますよ。ご主人がしてくれることで、『これはいいことだ』と思うことはありますか」

「と言いますと？」

「たとえば、ゴミ出しをしてくれるとか、あなたの運転する車のフロントガラスを洗って虫や汚れを取ってくれるとか、車にガソリンを入れに行ってくれるとか、支払いをしてくれるとか、自分でジャケットやコートをハンガーにかけてくれるとか」

「ええ。そういったことをしてくれることはあります」

「それだったら二つ提案をしますよ。一つは、寝室のペンキ塗りの話を二度と口にしない、ということです。いいですか、二度と口にしないでください」

「どうしてそれが助けになるのか、私にはわかりませんけど」と彼女は言いました。

「いいですか、あなたが寝室のペンキを塗ってほしがっていることは、もうご主人はちゃんとわかってるんです。あなた自身が、今、そうおっしゃいましたよね？　だったら、これ以上繰り返して言う必要はありません。しっかりわかってるんですから。二つ目の提案は、次にご主人が何かいいことをしてくれた時に、言葉でそれを感謝してください。ゴミを出してくれたら、『ボブ、ゴミを出してくれてありがとう。すごく感謝しているわ』と言ってください。『やっと出してくれたのね。もう少しでハエに出してって頼むところだったわ』なんてことは決して言わないでくださいよ。支払いをしてくれた時は、彼の肩に手を乗せて、『ボブ、支払いをしてくれてありがとう。こういうことをしてくれない夫もいるのよ。とても感謝してることを知っててほしいの』と言ってあげてください。とにかく、何かいいことをしてくれたら、口に出してほめてあげてください」

「それで寝室にペンキが塗られるとは思えません」

「私のアドバイスがほしいんでしたよね？　これが私のアドバイスです。それも無料で差し上げます」

こうして彼女は、不服そうにオフィスを去りました。ところがその三週間後、私のオフィスに戻ってきて、「うまくいきました！」と報告してくれたのです。この女性は、責め立てる言葉よりもほめ言葉のほうが、遥かに人にやる気を起こさせることを学びました。

「自分のしてほしいことを相手にさせる目的でお世辞を使え」と言っているわけではありません。愛の目標は、自分の欲しいものを得ることではなく、愛する相手の幸福のために何かをしてあげることです。ただ私たちは、肯定的な言葉を受け取る時に、「お返しに相手の望むことをしてあげたい」という意欲をかき立てられるのです。

励ましの言葉

肯定的な言葉は、感謝や称賛の言葉だけではありません。相手を励ます激励の言葉も、この愛の言語の一つの方言です。「励ます」とは、「勇気を起こさせる」という意味です。

誰にも、不得意なことや自信のない分野があります。そういうことについては、しりごみしてしまいます。そしてその勇気のなさが、やりたいと思う事柄に積極的に取り組むことやそれを達成することの妨げとなるのです。私たちの配偶者も、自信に欠ける事柄・領域を持っています。

そしてそこに隠れている彼らの潜在能力は、ただあなたの励ましの言葉を待っているだけなのかもしれません。

アリソンは書くことが好きでした。大学生活も終わりに近づいた頃、ジャーナリズムの講義をいくつか取ってみました。するとすぐに、専攻学科の歴史よりも、執筆のほうがずっとおもしろく感じられることに気がつきました。しかし専攻を変えるにはすでに遅すぎました。

大学卒業後、最初の子どもが生まれる前に、アリソンは記事をいくつか書いて、そのうちの一つをある雑誌に投稿してみました。ところが、却下の通知を受け取り、それ以来、書いた記事を投稿する勇気を失ってしまったのです。けれども子どもが大きくなり、じっくりと物を考える時間もできるようになると、アリソンは再び書き始めました。

結婚当初、アリソンの夫キースは、彼女の執筆活動にほとんど気を留めませんでした。仕事が忙しく、出世のためのプレッシャーもあったのです。しかしやがて、人生で一番大切なことは業績ではなく、人との関わり合いであることに気がつきました。そうしてキースは、妻であるアリソンの関心事にもっと気配りするようになったのです。

ある晩、彼はアリソンの書いた記事を手に取って読んでみました。アリソンは別の部屋で静かに本を読んでいました。記事を読み終わると、キースはアリソンのいる部屋に行って、熱意を込めてこう言いました。「本を読んでるところ邪魔して悪いんだけど、今、君が書いた『ホリデーを最大限に活かすには』って記事を読ませてもらったよ。これ、すっごくよく書けてる！　絶対出版されるべきだよ！　君は書くのがうまい。言葉も明確だし、光景が目に浮かんでくるような書き方だ。読んでいて惹きつけられる。絶対に雑誌に投稿するべきだよ」

「本当にそう思う？」とアリソンはためらいがちに尋ねました。

「断然そう思う。うまく書けてるよ。本気で言ってるんだ」とキースは答えました。

キースが部屋から出て行ったあと、アリソンは読んでいた本を膝の上に閉じました。それから三十分間、キースの言葉を思い返しながら、夢見心地に思いを走らせました。彼女の執筆に対して、キースと同じような意見を持ってくれる人がほかにもいるだろうか、と考えてみたのです。彼女は何年も前に受け取った却下通知を思い出しました。しかし、自分はあれからずいぶん変わった、と思いました。あの頃からすれば、随筆も上達したし、様々な体験も積んできました。水を飲もうと椅子から立ち上がったアリソンは、心の中で「いくつかの雑誌に、書いた記事を投稿してみよう。出版してくれるかどうか試してみよう」と決心していました。

キースがこの激励の言葉を妻に贈ったのは、今から十四年前です。それ以来、アリソンの記事はいくつも採用され、今では本の契約もあります。彼女は才能ある著述家ですが、そうなるまでには根気のいるプロセスがありました。夫の激励の一言が、その道のりの第一歩を踏み出す勇気を奮い起こさせたのです。

あなたの伴侶も、潜在能力をいまだに生かすことができないでいる分野・領域があるのではないでしょうか。そしてその眠っている可能性は、あなたからの励ましの言葉を待っているのではないでしょうか。

その可能性を掘り起こすためには、何らかの講座を受ける必要があるのかもしれません。またはその分野で成功を遂げた人々に会って、次のステップに関する洞察やアドバイスを得る必要があるのかもしれません。あなたの励ましの言葉が、それに近づく一歩を踏み出させる勇気を与えるのです。

誤解しないでいただきたいのですが、配偶者にプレッシャーをかけて、あなた自身が望むことをやらせなさい、と言っているのではありません。私が言っているのは、配偶者がすでに持っている関心を養い育てるように励ますということです。

たとえば、体重を減らすようにと妻にプレッシャーをかける夫たちがいます。夫は「妻を励ましている」と言いますが、妻の側からしてみれば、責められているようにしか聞こえないのです。本人がやせたいと思う時に初めて、本人を励ますことができます。相手がやせたいと思わない限り、あなたの言葉はお説教の部類になってしまうのです。そのような言葉は、励ましになりません。たいていの場合、罪悪感を呼び覚まそうとする裁きの言葉だと受け取られます。それは、愛ではなく拒絶を表す言葉なのです。

しかしもし、妻が「秋から減量プログラムに通おうかと思うの」と言ったなら、これは激励の言葉を発するチャンスです。それはたとえば、こんな言葉です。「そう決めたんなら、僕の言うことはたった一つ。君なら絶対にやれるよ。君はやると決めたら何でもやり通す人だ。そこが君のいいところなんだから。君が通いたいと思うんだったら、協力するよ。プログラムの費用は心配しなくていい。君がやりたいんだから、どうにかやりくりするさ」。このような言葉が、実際に減量センターに電話をかけて申し込みをする勇気を与えてくれるのです。

励ますためには、相手への共感と相手の視点から見るという姿勢が必要です。まず、配偶者にとって何が大切なのかを知らなければなりません。それを知って初めて、相手を励ますことができるのです。私たちは言葉による激励を通して、「知ってるよ。気にかけてるよ。君の味方だよ。どうしたら君の助けになれる?」と伝えているのです。彼らと、彼らの能力を信じていることを伝えようとしているのです。相手を認めて称賛しているのです。

私たちの内側には、一生かけてもそのすべてを発揮させることができないほど、たくさんの可能性が潜在しています。多くの場合、私たちにしりごみさせるのは、勇気の問題です。愛情に溢れた夫や妻というのは、そこに変化のきっかけを与えることができる極めて重要な存在なのです。

もちろん、励ましの言葉を口にするのが苦手という人もいるでしょう。それが自分の一次言語でないからです。二次言語を学ぶのには、大変な努力が必要かもしれません。特に今まで非難や批判をしがちだった人なら、一層難しいでしょう。それでも「努力をする価値がある」と請け合います。

優しい言葉

愛は、情け深く親切です。ですから、もし愛を言葉で伝えたいのなら、思いやりのある優しい言葉を話さなくてはなりません。これは話し方の問題です。同じ文章でも、言い方によってはまったく意味の違うものになってしまいます。たとえば、いたわりと優しさを込めて「あなたを愛してる」と言えば、それは心からの愛の表現となります。しかし、「あなたを愛してる?」とクエスチョン・マークをつけると、すっかり違った意味になってきます。

言っている言葉とはまったく別のことを口が語る、ということがよくあります。二重のメッセージを伝えているのです。そしてたいていの場合、私たちの配偶者は私たちの使う言葉ではなく、口調に基づいてメッセージを解釈しています。

「喜んで皿洗いをさせていただきましょう」というように言えば、それは愛の表現とは受け取られません。また逆に、心の痛みや怒りでさえも、思いやりのある口調で語れば愛の表現になるのです。「あなたが手伝ってくれなくて、とてもがっかりしたの。傷ついたの」という言葉でも、正直にいたわりを持って言えば、愛の表現になり得ます。このような話し方をする人は、配偶者に「知ってほしい」と願う人です。自らの感情について語ることで、親密な関係を作る努力をしているのです。癒しを見出すために、その傷について話をする機会を求めているのです。同じ言葉をとげとげしく怒鳴って言えば、愛ではなく非難と裁きの表現となるでしょう。

話し方というのは極めて重要です。ソロモンは「柔らかな答えは憤りを静める。しかし激しいことばは怒りを引き起こす」（箴言一五・一）と言いました。あなたの配偶者が、ある出来事に腹を立て、冷静さを失い、興奮状態の中で暴言を吐いたとします。もしあなたが愛することを選ぶなら、さらに激怒して言い返すのではなく、やわらかい言葉で応答するはずです。相手が言うことを、相手の感情が今どんな状態にあるかを知らせてくれる情報として受け止めるのです。あなたは相手に、自分の痛みや怒りや見解を吐き出させてあげるでしょう。また、相手の身になって考え、その出来事を相手の目を通して見ようと努力するのです。そしてなぜそう感じるのかわかる、と穏やかに伝えます。

もし相手に対して過ちを犯したのなら、あなたはそのことを認めて相手に赦しを請います。もしあなたの行動の動機について相手が誤解している場合は、本当の動機を優しく説明してあげます。自分の解釈だけが唯一筋の通った見解だとは思っていません。だから相手を説得するのではなく、理解と和解を求めるのです。これが、成熟した愛の姿です。そして結婚生活の成長を本当に求める人は、この成熟した愛を目指しているのです。

愛は、悪事の記録をつけません。愛は過去の失敗を持ち出さないのです。完璧な人間など一人もいません。結婚生活において、いつも一番よいこと、正しいことをできる人もいません。時には配偶者を傷つけるようなことをしたり言ったりします。過去を消し去ることはできません。私たちにできるのは、それを告白し、悪かったと認めることです。赦しを請うこと、そして今後その行動を改める努力をすることもできます。自分の失敗を告白して相手の赦しを願い求めたら、それ以上は、相手の痛みを和らげるためにできることはありません。

私が妻に不当な扱いを受け、妻がそれを悲痛な面持ちで告白して私の赦しを求めたとします。その時点で私には、裁くか赦すかという二つの選択肢があります。もし裁くことを選んで妻に仕返しをしたり、過ちの弁済を求めたりしたら、自分を裁判官にして、彼女を重罪人と見なすことになります。私たちの間の親密な関係は消えてなくなります。しかし、もし赦すことを選ぶなら、親密な関係を回復することができるのです。赦すことが愛の道です。

私がいつも驚くのは、実に多くの人が過去のことで新しい毎日を台無しにしてしまうことです。昨日の失敗を、意固地になって今日に持ち込み、すばらしい日になる可能性を秘めた一日を汚染するのです。「あんなことするなんて信じられないわ。絶対に忘れないわよ。私がどんなに傷ついたかなんて、わかりっこないのよ。あんなふうに扱っておいて、よくそんな澄ました顔で座っていられるわね。私の前に土下座して謝るべきじゃない。それでも赦せるかどうかわからないいけど」。こういった言葉は、愛ではなく、恨みと憤りと復讐の言葉です。

過去の失敗を処理する一番の方法は、それを過ぎ去った昔の出来事としてしまうことです。もちろん、それは実際に起こったことです。それによって傷ついたことも確かです。今もなお、その傷は痛んでいるかもしれません。しかし相手は失敗を認め、あなたに赦してほしいと願ったのです。過去を消し去ることはできませんが、過ぎ去った昔のことと見なすことはできます。私たちには、昨日の失敗から解放されて今日を生きるという選択肢があるのです。

赦しとは、感覚的なものではなく、本気で取り組む決意です。それは憐れみ深くあるという選択であり、不適切なことをした者に対してその行為を恨んだり根に持ったりしないことです。赦すことは、愛を表現することなのです。

「愛してるよ。君のことが大切だから、赦すことを選ぶ。心の痛みはまだしばらく残るかもしれないけど、起きてしまったことで僕らの仲を引き裂かれるのは嫌だ。この体験からお互いに学べればいいと思う。君は失敗したからといって失敗者じゃない。君は僕の妻だ。ここからまた二人で歩み出せばいい」。このような思いやりのある優しい言葉もまた、「肯定的な言葉」の方言なのです。

謙遜な言葉

　愛は、頼むことはしても要求はしません。私が妻に要求するなら、自分を親の立場に置いて彼女を子どもとして扱うことになります。三歳児に何をすべきか言ってきかせるのは親の仕事です。それは三歳児が、まだ人生の荒波を切り抜ける知識を持っていないからです。しかし結婚において夫婦は対等であり、二人は成人した人生のパートナーです。もちろん、どちらも完璧な人間ではありません。それでも大人でありパートナーなのです。親密な関係を築くためには、お互いの願いを知っていなければなりません。愛し合いたいと願うならば、相手の望むことが何なのかを知る必要があるのです。

　ところが、その望みや願いをどう表現するかが非常に重要です。もし要求しているような印象を与えるならば、親密感を生み出すチャンスは消えてなくなり、かえって相手を遠ざける結果となります。しかし、もし望みや必要をリクエストとして伝えるならば、それは最後通牒を突きつけるのではなく、どうしてほしいのか理解してもらうための手引きを提供していることになります。

「君が作るアップルパイが大好きだ。今週、作るのって無理かな?」と言う夫は、どのように愛を表現すればよいかのヒントを妻に与えているのです。これは親密な関係を築くのに役立ちます。

　これに対して、「赤ん坊が生まれて以来、アップルパイを一度も食べさせてもらってないな。この調子じゃあ、子どもが高校を出るまでは食べれないってことだろうな」と言う夫は、自分が大人であることを忘れ、子どもじみた未熟な振舞いに逆戻りしていると言えるでしょう。こういった要求は、親密感を生み出しません。

「ねえ今週末、雨どいの掃除をしてくれる？」と尋ねる妻は、頼みごとをすることで愛を表現しています。しかし「あなた、早く雨どいを掃除してよ。屋根からといが落ちちゃうわ。土が詰まった所から、木の芽が出てきてるんだから！」と要求する妻は、愛することをやめて支配的になっているのです。

夫や妻に頼みごとをする時、相手の価値や能力を肯定しているのです。要するに、相手が意味のあること、価値のあることを成し遂げる能力を持っていると暗示しているのです。

ところが要求は、あなたを愛の人ではなく暴君にしてしまいます。あなたの夫や妻は、認められていると感じるのではなく、見下されているように感じるでしょう。

頼みごと、願いには、選択の要素があります。その願いに応じるか拒むかを選択できる余地があるのです。そして、愛は常に選択する行為です。選択できるからこそ、意味があるのです。私の妻は、私のリクエストに応じるほどに私を愛してくれていると知ることは、彼女が私を気にかけ、敬い、喜ばせたいと思っていることを、私の心に伝えてくれます。

要求によって愛を得ることはできません。たとえ妻が私の要求に従ったとしても、それは恐れや罪悪感やその他の感情から来る行動であって、愛ではありません。このように、リクエスト・

願いが愛の表現を可能にする反面、要求はその可能性を殺してしまうのです。

様々な方言

肯定的な言葉は、五つある愛の基本言語の一つです。しかし、この一つの言語の中にもたくさんの方言があります。すでにそのいくつかを紹介しましたが、ほかにもまだ、数多くの方言があるのです。これらの方言については、たくさんの本や記事が書かれています。これらはすべて、配偶者を言葉で肯定する、という共通点を持っています。

心理学者ウィリアム・ジェームス氏は、「人間が最も切実に必要とするものは、価値を認められたいという思いだろう」と言っています。多くの人々の内側にあるこの必要を、肯定的な言葉は満たしてくれます。言葉に長けていないと思う人には、そして、自分の第一言語は肯定的な言葉ではないが、配偶者の第一言語はそれであると思う人には、「肯定的な言葉」とタイトルをつけた手帳を作って手近に置いておくことを勧めます。愛に関する記事や本を読んだら、そこに見つけた肯定的な言葉をその手帳に書き留めてください。愛に関する講演を聞いたり、友人が好意的なコメントをするのを聞いたら、それも書いてください。そうしていくうちに、愛を伝えるために使うことができる言葉をたくさん集めることができるでしょう。

肯定的な言葉は、間接的に伝えることもできます。つまり、夫や妻がいないところで、彼や彼女について肯定的な発言をするのです。やがて、誰かがそれを夫や妻に伝え、あなたは愛の信頼を得ることができるでしょう。配偶者がどんなによい妻であるかを、彼女の母親に語ってみてください。母親があなたの言ったことを娘に話す時には、話はもっと拡大されて、あなたはさらなる信頼を得るでしょう。

また、夫や妻本人のいる目の前で、ほめてあげてください。あなたが業績や成功を公に表彰されたりする時は、必ずその栄誉を配偶者と分かち合ってください。さらには、肯定的な言葉を書いて伝えることもいいでしょう。書かれた言葉には、何度も繰り返して読まれるという利点もあります。

私は、肯定的な言葉と愛の言語についての重要なレッスンを、アーカンソー州のリトルロックという町で学びました。ある美しい春の日、ビルとベティ・ジョーの自宅を訪問しました。彼らは、白い柵に囲まれ、芝生が青々としたすてきな住宅街に住んでいました。春の花々が咲き乱れる、のどかな所でした。しかしその理想的な情景も、家の中に一歩入ったらおしまいでした。彼らの結婚生活はボロボロだったのです。

結婚して十二年。二人の子どもがいました。そんな彼らは今、なぜそもそも結婚などしてしまったのかと、頭を抱えていたのです。二人は何に関してもまったく意見が一致しません。一致できる唯一のことは、両者とも子どもたちを愛しているということだけでした。

二人の話を聞いていくうちに、いくつかのことがはっきりしてきました。まず、ビルは仕事中毒の人間で、ベティ・ジョーのために時間を割くことはほとんどないということでした。ベティ・ジョーはパートの仕事をしていましたが、それはおもに、息抜きに家を出る目的でそうしているようでした。彼らは、感情的に距離を置くことで、現状に対処していました。そうしていれば、夫婦の対立もそれほど大きなものに見えなくなるからです。しかし二人の愛のタンクは空っぽになっていました。

二人は、結婚カウンセリングに通っているがあまり進展がない、と教えてくれました。私の結婚生活セミナーにも参加していましたが、私はその翌日にそこを去ることになっていました。この日だけが、ビルとベティ・ジョーと会う唯一のチャンスだったのです。私はこの日にすべてをかけることにしました。

二人と別々に一時間ずつ話をして、両方の話に熱心に耳を傾けました。その結果、夫婦間に存在する空虚と不一致にもかかわらず、二人がある部分においてはお互いの価値を認めていることを発見しました。「ベティ・ジョーはいい母親です。それにいい主婦で、その気になったら料理もうまいです」とビルは言いました。しかし、「でも、彼女からまったく愛情が伝わってこないんです。こっちは身を粉にして働いているのに、何の感謝もありません」と続けました。

ベティ・ジョーは、ビルがすばらしい一家の稼ぎ手で、生活に不自由していないことは認めました。しかし、「ビルは、家のことを何も手伝ってくれないんです。それに、私のために全然時間を割いてくれません。家やレジャー用の車やいろんな物を持っていても、それを一緒に楽しめないなら何の意味もありません」と不満を訴えました。

これらの情報を得た私は、彼らへの助言をたった一つの提案に絞ることにしました。彼ら一人一人が結婚生活における感情的土壌を改善する鍵を握っていることを、二人に別々にこう話しました。「その鍵は、相手のこんなところが好きだ、こんなことに感謝していると思うことを、口に出して伝えることです。嫌いな点に関して不満を言うことはしばらく控えてください」

それから、彼らがすでに口にした相手のよい点を再度確認して、それをリストにする手伝いをしました。ビルのリストは、料理がうまいベティ・ジョーの母親そして主婦としての姿を描き出しました。ベティ・ジョーのリストは、ビルの仕事ぶりと、家族を金銭的に養ってくれることに焦点が当てられました。できるだけ具体的なことを書き出した結果、ベティ・ジョーのリストは、以下のようになりました。

・ビルは十二年間、一度も仕事を休んだことがない。仕事に意欲的だ。
・長年の間に何度か昇進した。生産力をさらに高める方法をいつも考えている。
・毎月住宅ローンを支払ってくれる。

・電気代、ガス代、水道代の支払いもしてくれる。
・三年前にレジャー用の車を買ってくれた。
・春と夏には毎週、庭の芝を自分で刈るか、誰かを雇ってくれる。
・秋には、自分で落ち葉をかくか、誰かを雇ってくれる。
・食べ物や洋服を買うのに充分なお金を家族に提供してくれる。
・一か月に一度くらいは、ゴミを出してくれる。
・家族のためのクリスマスプレゼントを買うお金をくれる。
・パートで稼ぐお金は好きなように使っていいと、言ってくれている。

ビルのリストは次のようになりました。

・ベティ・ジョーは、毎日ベッドをきれいに整えてくれる。
・毎週家に掃除機をかけてくれる。
・毎朝おいしい朝ごはんを食べさせて子どもたちを学校に送り出してくれる。
・一週間のうち、三日は夕食を作ってくれる。
・日用品の買い物をしてくれる。

・子どもたちの宿題を見てくれる。
・子どもたちの学校や教会の行事・活動の送り迎えをしてくれる。
・教会の日曜学校で一年生のクラスを教えている。
・私の洋服をクリーニング屋に出してくれる。
・洗濯とたまにアイロンがけもしてくれる。

私は、それから先の数週間、さらに気づいたことをリストに加えていくようにと二人に助言しました。また、一週間に二度、相手の評価できる点を一つ選んで、それを口に出してほめるか感謝するようにと提案しました。そして最後にもう一つ、もしビルがベティ・ジョーをほめたら、ベティ・ジョーはその時すぐにお返しにビルをほめるのではなく、ビルの言葉を素直に受け取って、「そう言ってくれてありがとう」とだけ言うようにと提案しました。もちろんビルにもそれと同じことを言いました。こうして私は、これを二か月間毎週続けるようにと二人を励ましたのです。

二か月経って、もしこの試みが夫婦の感情的土壌をよくする助けになっていると判断したら、さらに続けるようにと勧めました。しかし、もし助けになっていないと判断したら、この試みは失敗だったと見切りをつけてよい、ということにしました。

二か月後にビルとベティ・ジョーの様子を電話で聞くことにして、私はその翌日、飛行機で帰途に着きました。そうして夏もいよいよ本番になった頃、二人に電話をして、それぞれ別々にその後の様子を尋ねてみました。まずは、ビルの態度が大きく変化しているのに驚きました。彼は、私がベティ・ジョーにも彼と同じアドバイスをしたことに気づいていました。しかしそれを気にしておらず、かえって喜んでいました。彼女は、ビルが働き者で、一家を養う大黒柱であることに感謝を示していました。ビルは、「自分が男であることを改めて感じるようになりました。先生、私たち夫婦はまだまだですが、やっとよい方向に歩み始めた気がします」と言いました。

ところがベティ・ジョーと話してみると、彼女のほうにはわずかな進歩しかないことがわかりました。「状況はいくらかよくなりました。先生に言われたとおりに、ビルは私をほめてくれます。口先だけじゃなくて、心からそう思って言ってくれているみたいです。でも先生、いまだに私のために時間を割いてくれないんです。相変わらず仕事に忙しくて、一緒に過ごす時間などまったくありません」

ベティ・ジョーの話を聞きながら、突如として重要なことを発見しました。一人の人の愛の言語が、他の人の愛の言語と同じであるとは限りません。ビルの愛の一次言語が「肯定的な言葉」であることは明らかでした。彼は仕事好きの働き者でしたが、妻に一番強く求めていたものは、彼の働きに対する感謝・敬意だったのです。言葉によって肯定されたいという彼の欲求は、おそらく幼年時代に始まり、そのパターンは大人になっても同じように大切なものだったのです。

一方、ベティ・ジョーが感情的に大いに必要としていたものは、それとはまったく違うものでした。好意的な言葉も悪くはないけれど、感情的に深く切望したものは、別の何かでした。それが何だったのかを理解するために、第二の愛の言語へと話を進めていきましょう。

あなたの結婚相手の愛の言語が「肯定的な言葉」なら

1　相手の愛の一次言語が「肯定的な言葉」であることを思い起こすために、次の文章をカードに書き出し、洗面所の鏡の上など毎日目にする場所に張っておきましょう。

言葉が大切！
言葉が大切！
言葉が大切！

2　一週間の間、相手に語った肯定の言葉をすべて書き留めておきましょう。その週の終わりに、その言葉の記録を夫婦で一緒に読み返してください。

月曜日に言った言葉
「この料理、すごくおいしくできてるよ」
「その洋服、とても似合ってる」
火曜日に言った言葉

「クリーニングを取りに行ってくれてありがとう」

……といった具合に。

こうすると、自分がどれほど上手に（または下手に）肯定的な言葉を語っているかがわかります。
3　一か月間、毎日違った言葉で相手をほめることを目標にしましょう。「一日一個のリンゴを食べれば医者はいらない」と言われますが、一日一言のほめ言葉があればカウンセラーはいらないのではないでしょうか（語ったほめ言葉を全部記録しておくのもよいでしょう。そうすれば同じ言葉を二度繰り返すこともありません）。
4　雑誌や本を読んだり、テレビを見たり、ラジオを聞いたりする時、そこで使われている肯定的な言葉・激励の言葉に気をつけていましょう。人の会話を観察するのもいいでしょう。そしてメモ帳にそれらの肯定的な言葉を書き留めてください（漫画なら切り抜いて、それをメモ帳に貼りましょう）。時折読み返して、あなたの夫や妻に対して使える言葉を選びます。一つ使ったら、その横に使った日付を書き込んでください。そのメモ帳は、あなたの愛のメモ帳です。言葉が大切！　ということを忘れないように。
5　ラブレターなど愛を表す文章を書いて（一段落や一文でもかまいません）、夫や妻に渡しましょう。静かにそっと渡してもいいし、派手にやってもいいです（そのあなたからのラブレターが、どこかにそっと取ってあるのをずっと後になって発見するかもしれませんよ)。言葉が大切です!

6　夫や妻を彼・彼女の両親や友人の前でほめてあげましょう。相手が愛されていることを感じるだけでなく、相手の両親もよい婿や嫁を持って幸いだと感じて、二重の信頼を得るでしょう。

7　相手の長所を探して、その価値を認めていることを口頭で伝えましょう。相手は、その評価に恥じないような行動をしようと励むはずです。

8　あなたの配偶者がどんなによい父親・母親であるかを子どもに話しましょう。相手がそこにいない時にも、目の前にいる時にもそうしましょう。

9　夫や妻に対する気持ちを詩に書き表してみましょう。詩を書くのが苦手なら、あなたの気持ちを表すグリーティングカードを選んでもいいです。特に強調したい言葉にアンダーラインを引いたり、カードの最後にほんのひと言でも自分の言葉を加えてください。

10　「肯定的な言葉」を言うのが苦手という人は、鏡の前で練習してください。どうしても必要なら、台詞を書いたカードを使ってもいいです。「言葉が大切だ!」ということを忘れないように。

第5章　第二の愛の言語──「クオリティ・タイム」

私は、ベティ・ジョーの愛の一次言語が何かということに最初から気づくべきでした。リトル・ロックに彼女とビルを訪問したあの春の夜、彼女が何と言っていたか覚えていますか。「ビルは働き者で、生活に不自由していないことは確かです。でも、私のために時間をまったく割いてくれません。家やレジャー用の車などいろんな物を持っていても、それを一緒に楽しめないなら何の意味もありません」と言っていました。

ベティ・ジョーの願いは、ビルとクオリティー・タイム（Quality Time＝充実した時間）を持つことだったのです。ビルにもっとふりむいてほしかったのです。彼にもっと注意を払ってほしかったのです。彼女のために時間を作って、一緒にいろんなことをしてほしかったのです。

「クオリティ・タイム」とは、誰かに丸ごとの注意を注ぐことです。ソファに座って一緒にテレビを見ることは、クオリティ・タイムではありません。なぜなら、あなたの注意力を占領しているのは、配偶者ではなくテレビの番組だからです。私の意味する「クオリティ・タイム」とは、テレビを消してソファに座って、お互いの顔を見て語り合い、相手に完全な注意力を注ぐことです。二人で散歩や食事に出かけて、お互いを見つめ合って話をすることなのです。

レストランに行くと、交際中のカップルと既婚者カップルはだいたいすぐに見分けがつきます。交際中のカップルは、見つめ合いながら話をしています。既婚者カップルは、座ってレストランの中を見回しています。彼らはただ、食べることを目的にレストランに来ているのです！

妻とソファに座って、二十分間彼女に一心に注目する時、また妻が私にそれと同じことをする時、私たちは相手に人生の二十分間を捧げているのです。その二十分間は二度とやってきません。そうすることで相手に自分の人生を与えているのです。これは大きな説得力を持つ愛の伝達方法です。

一つの特効薬ですべての病気を治すことはできません。ビルとベティ・ジョーへアドバイスする時、私は大きな間違いを犯しました。ビルにとって深い意味を持つ肯定的な言葉が、ベティ・ジョーにも効果的だろうと思ったのです。二人が好意的な言葉でお互いを肯定すれば、夫婦間の感情的な雰囲気に変化が起こり、お互いに愛されていると感じるようになるだろうと期待したのです。

ビルには効果がありました。彼はベティ・ジョーにもっと好意を持つようになりました。彼の仕事が評価されていることに気づき始めていました。しかし、ベティ・ジョーにはそれほど役立たなかったのです。理由は、彼女の愛の一次言語が肯定的な言葉ではなかったからです。彼女の言語は、クオリティ・タイムでした。

　私は、再びビルに電話を代わってもらい、彼の過去二か月の努力に礼を言いました。ベティ・ジョーを言葉で励ましたことをねぎらい、彼の言葉がしっかり彼女に届いていることを伝えました。すると彼は、「でも先生、妻はまだ幸せそうではありません。彼女の状況はあまり改善されていないようです」と言いました。

「あなたの言うことは、ずばり当たっていると思います」と私は答え、「実はその原因がわかりました。私が誤った愛の言語を提案したからなんです」と言いました。ビルには私の言うことが理解できない様子でした。それで私は、一人の人が愛を感じる方法が別の人に同じ効果をもたらすとは限らないことを説明しました。

　まずビルは、自分の一次言語が肯定的な言葉であることに同意しました。少年時代にもそれが大きな意味を持っていたこと、ベティ・ジョーが感謝と敬意を表してくれるようになってとても嬉しいことなどを語ってくれました。そこで私は、ベティ・ジョーの一次言語がクオリティ・タイムであることを説明しました。相手に集中して注意力を注ぐという概念を説明して、ベティ・ジョーと話す時に新聞を読んだりテレビを見たりしてはいけないと話しました。また、彼女の目をしっかり見て完全な注意を払うように、彼女が楽しむことを一緒にしてあげるように、そしてそれを心を込めてするようにと説明したのです。ビルは、「えっと、たとえば一緒にシンフォニーを聞きに行くとかですか」と尋ねました。彼の内にも新しい理解の光が灯ったようでした。

ビルはさらにこう言いました。「先生、妻はいつもそういう愚痴をこぼしています。一緒に何もしてくれない、一緒に時間を過ごしてくれないと言います。『結婚前はいろんな所に行っていろんなことをしたのに、今は忙しすぎる』と言うんです。間違いなく、クオリティ・タイムが妻の愛の言語ですよ。でも一体どうしたらいいんでしょうね？　私の仕事は過酷で休む暇もないんです」

「もっと具体的に話してくれますか」と私が尋ねると、ビルはそれからの十分間、どうやって出世階段を上ってきたか、どれほど懸命に働いてきたか、その業績をどれだけ誇りにしているかを語ってくれました。そして将来に抱く夢も話してくれ、あと五年でその目標の場所へ到達できるだろうとも教えてくれました。

「その場所には一人で到達したいですか。それともベティ・ジョーや子どもたちにも一緒にその場に立ってほしいですか」と私は尋ねました。

「妻と共にそこに到達したい。彼女にも一緒にそれを楽しんでほしいです。だから、仕事に費やす時間を彼女に非難されるのがつらいんです。二人のためにと思って働いているのに、それを分かち合いたいのに、いつも妻は否定的なんです」

「ビル、なぜ彼女が否定的なのかわかってきましたか。彼女の愛の言語はクオリティ・タイムなんです。あなたが彼女のためにはほとんど時間を作ってあげないから、彼女の愛のタンクは空っぽなんですよ。彼女はあなたの愛に確信がないんです。だから、あなたの時間を取り上げるもの、つまり仕事のことを悪く言いたくなるわけです。あなたの仕事を本気で憎んでいるわけではありません。あなたからの愛がほとんど伝わってこないという事実が嫌なんです。解決法はたった一つ。これには大きな犠牲が伴います。ベティ・ジョーのために時間を作ってあげてください。正しい適切な愛の言語で、愛を語ってあげてください」

「おっしゃることはわかります。では、どうすればいいんでしょう?」

「手元にベティ・ジョーの長所を書き込んだメモ帳がありますか」

「はい、あります」

「では、今からもう一つ別のリストを作りましょう。ベティ・ジョーが一緒にしたいと望んでいることを、わかっているだけリストに挙げてください。この数年に彼女が口にしたことがある願いを書き出してみてください」

ビルのリストは以下のようになりました。

・レジャー用の車で山に行って一週間のバケーションを過ごす(子ども連れで、または、二人だけで)。

・どこかで待ち合わせしてランチを食べる（すてきなレストランで。時にはマクドナルドでもいい）。
・ベビーシッターを雇って二人だけで夕食に出かける。
・夜帰宅したら、一緒に座って、どんな一日だったかを話して聞かせて、彼女の一日についても耳を傾ける（テレビを見ながら話さない）。
・時間を割いて子どもたちと学校での様子・体験について話をする。
・時間を作って子どもたちとゲームをして遊ぶ。
・土曜日に、彼女と子どもたちと一緒にピクニックに出かける。アリやハエのことで文句を言わない。
・少なくとも一年に一度は家族旅行をする。
・彼女と散歩に出かけ、歩きながら話す（彼女の前をさっさと進んでいかないこと）。

「今までに彼女が口にしたのは、こういったことです」とビルは言いました。

「私が何を提案しようとしているか、わかりますか」

「実行しなさい、と言うのでしょう?」とビルは答えました。

「そのとおり。今日から二か月の間、リストの中から一週間に一つ実行してください。どこで時間を作るかは、あなたのことだから必ずやりくりできると信じてますよ。ビル、あなたは頑張り屋で決断力のある人です。だからこそ今のポジションにつくまでに成功したのです。あなたなら人生のプランをきちんと立て、そこにベティ・ジョーをしっかり組み込めるはずです」。そう私はビルに言いました。

「わかりました。やってみます」

「ビル、職業上の目標を低くしろ、と言っているのではありませんよ。トップに立った時に、そこにベティ・ジョーと子どもたちがあなたと共にいるプランを立てろ、ということです」

「それこそが一番の願いです。トップに立っても立たなくても、妻を幸せにしたいんです。妻と子どもたちと一緒に人生をエンジョイしたいんです」

それから月日は流れ、ビルとベティ・ジョーはトップに上ってはまた下りながら、多くの体験をしました。しかし大切なことは、それらの道のりを二人が一緒に通ったということです。子どもたちは巣立ち、今が人生最高の時だと二人は言っています。ビルはシンフォニーの熱心なファンとなり、ベティ・ジョーのメモ帳には、ビルの長所が長々とリストに挙げられています。ビルは、ベティ・ジョーの感謝の言葉に飽きることがありません。

彼は事業を起こして、そこでもまたトップに近づいています。ベティ・ジョーは、もはや彼の仕事に脅威を感じることはありません。仕事の成功にも心を躍らせ、彼を支え励ましています。

妻としての自分が、夫にとって一番大切な存在であることを知っているからです。彼女の愛のタンクは満タンです。そして空になりそうな時は、素直にリクエストをするだけで、ビルがしっかりと心を傾けてくれることを彼女は知っているのです。

親密感

クオリティ・タイムの中心的な意味は、親密感にあります。体が近接していることではありません。同じ部屋に座っている二人は、確かに近くにいますが、それだけで親密であるとは言えません。親密感や一体感は、注意力を集中することと関係しています。

父親が、床に座って二歳の子どもにボールを転がしてやる時、その父親の関心はボールではなく子どもに向けられています。そのわずかな時間、彼らの間には親しい交わりがあります。ところが、その父親がボールを転がしながら電話で話をしているとしたらどうでしょう。彼の注意力は分散します。

一緒に時間を過ごしていると思っていても、実際には単に近くにいるだけの夫婦がいます。同じ時間に同じ家にいるのですが、親密ではないのです。妻と話をしながらテレビのスポーツ中継に目をそらす夫は、妻と充実した時間を持っていません。彼女に集中して関心を注いでいないからです。

クオリティ・タイムを持つためには、じっと見つめ合って時間を過ごさなければいけない、というのではありません。クオリティ・タイムとは、一緒に何かをしながら相手に注意力を集中することです。何をするかは重要ではありません。それは親密感を作り出すための手段にすぎないからです。前例の父親にとって大切なのは、ボールを転がすことではなく、それによって二歳の子どもと感情的な交わりを持つことです。

それと同様に、一緒にテニスをする夫婦は、ゲームそのものにではなく、共に時間を過ごすという事実に重点を置くはずです。そうして初めて正真正銘のクオリティ・タイムになります。感情のレベルで何が起こるかが大切なのです。共通の趣味や関心事に、共に時間を費やす時、お互いのことを大切に思っている、一緒にいて楽しい、一緒にできて嬉しい、という感情が伝わるのです。

充実した会話

肯定的な言葉と同じく、クオリティ・タイムにもたくさんの方言があります。最も一般的な方言の一つが、「充実した会話」です。充実した会話とは、二人がお互いの気持ち、考え、体験、願望などを打ち解けた雰囲気で分かち合って、さえぎられることなく、共感し合いながら対話をすることです。「夫・妻が話をしない」と不満を訴える人は、相手が文字どおり一言もしゃべらない、と言っているのではありません。親身になって共感できる会話をすることがめったにない、と言っているのです。

あなたの配偶者の愛の一次言語がクオリティ・タイムなら、彼らにとってこういった質の高い有意義な会話は、愛されていることを感じるために極めて重要な役割を果たすのです。

充実した会話は、前章で取り扱った一つ目の愛の言語とかなり異なります。「肯定的な言葉」では、「何を言うか」が大切です。一方、充実した会話は、「何に耳を傾けるか」に焦点が当てられます。もし私がクオリティ・タイムを通してあなたへ愛を伝えたい、会話をして時間を共に過ごしたいと思うならば、様々な質問をして、話を聞き出すことに集中するでしょう。そして親身になってあなたの言うことに耳を傾けるはずです。困らせるようにくどくど質問するのではありません。あなたの考え、思い、願いを理解したいという純粋な気持ちで尋ねるのです。

私がパトリックと知り合ったのは、彼が四十三歳の時でした。当時、彼は結婚して十七年でした。私が彼を記憶している理由は、彼が最初に言った言葉がとても印象的だったからです。彼は私のオフィスの革張りの椅子に腰かけて、手短に自己紹介をしました。そして身を乗り出して、感情を込めてこう言いました。「チャップマン先生、私はばか者です。大ばか者です」

「そういう結論に達した理由は？」と私は尋ねました。

「結婚十七年にして、妻に出ていかれました。今、自分がどれほどばかだったか、気づいたところです」

私は最初の質問をもう一度繰り返しました。「どういうふうにばかだったんですか」

「妻は仕事から帰ってくると、いつも彼女のオフィスで起こっている問題を話しました。私はそれを聞いて、妻がするべきだと思うことを言って聞かせました。いつもアドバイスしたんです。問題に立ち向かえ、と言いました。『問題はひとりでに解決しないんだ。責任者に話をするべきだ。問題にしっかりと対処しなさい』と。

翌日、彼女は仕事から帰ってきて、また同じ話をしました。私は妻に、前日アドバイスしたことを実行したかと尋ねたんです。彼女は頭を振って、やっていないと言う。それで私はもう一度アドバイスを繰り返して、それが今の問題を処理する方法だと語る。その次の日も妻は家に帰ってきて、また同じ愚痴をこぼす。私は再びアドバイスを実行したかと尋ねる。彼女は首を振ってノーと答える。

こうやって同じことが三、四晩続くと腹が立ってきました。私のアドバイスを実行する気がないのに、同情してもらえると期待するな、と言いました。私は、妻が必要のないストレスやプレッシャーを抱えて生活していると思ったんです。私が言うとおりにすれば問題を解決することができたのに。そんなストレスに苦しむ妻の姿を見るのがつらかったんです。苦しまなくてもいいのに、と思うと余計にそうでした。次に彼女がその問題を持ち出した時、『もう聞きたくない。

何をするべきか、何度も言ってある。言うことを聞く気がないんなら、こっちも君の話は聞きたくないね』と言ったんです。

私は彼女に心を閉ざして、自分のことにばかり気を取られていました。なんてばかだったんでしょう。とんでもないばか者です！　今になってやっとわかりました。妻は、私のアドバイスなんか欲しくなかったんです。職場の問題を話したのは、私に共感してほしかったからなんです。親身に話を聞いてほしかったんです。彼女に心を傾けて、心の痛みやストレスやプレッシャーを理解してほしかったんです。私が彼女を愛してるって、彼女の味方だってことが知りたかったんです。アドバイスなんか欲しくはなかったんですよ。妻は、ただわかってほしかったんです。

それなのに私は、アドバイスするのに忙しくて、彼女の気持ちを一度も理解してあげようとはしなかった。なんてばかなんだ。妻は私から去っていきました。どうしてこういうことは、その時に気づけないんでしょうね？　何が起こっているのか、全然わかっていませんでした。妻の期待を完全に裏切ったことが、今になってやっとわかりました」

パトリックの妻は、充実した会話を切に求めていました。彼女は、自分の痛みやフラストレーションに耳を傾けてほしかったのです。夫が自分に注意を注いでくれることを、感情的に切望していたのです。

一方パトリックは、聞くことではなく話すことに熱を込めました。彼が耳を傾けたのは、問題が何かを把握して、解決策を練り出す間だけでした。支援と理解を求める妻の叫びに気づいてあげる上手な聞き方も、話を聞くことに充分な時間をかけることも、彼はしていなかったのです。

私たちの多くは、パトリックとまったく変わりません。私たちは、問題を分析して解決法を見出すように訓練されています。しかし結婚生活は、完成すべきプロジェクトでもなければ、解決すべき問題でもありません。結婚は、人と人との関係です。私たちは、そのことを忘れているのではないでしょうか。

人間関係には、相手の考え、感情、願望を理解するために、思いやりをもって耳を傾けることが必要です。助言はいとわずに与えるべきですが、そうするように求められた場合に限ります。そして、上からものを言うような態度で助言するなど、絶対にしてはいけないことです。

私たちは本当に聞くことが下手です。考えること、しゃべることのほうが遥かに楽なのです。聞くことを学ぶのは、外国語を学ぶくらい難しいでしょう。それでも、愛を伝えたいと願うならば、学ばなければいけないのです。配偶者の愛の一次言語がクオリティ・タイムで、彼女の方言が充実した会話であるという人は、なおさらです。幸いにも、聞くというわざを磨くのに役立つ数多くの本や記事が書かれています。すでにほかで書かれている事柄を、あえてここで重ねて書くことはしませんが、実用的なヒントを以下にまとめておきましょう。

1　夫や妻が話をしている時は、相手から視線をそらさないこと。そうすると、相手に集中することができるだけでなく、心から注意力を注いでいることを相手に伝えることができます。

2　夫や妻の話を聞きながら、何か別のことをしない。クオリティ・タイムとは相手に誠心誠意耳を傾けることだ、ということを忘れないでください。もしあなたが何か熱中して見たり読んだり、やったりしていることがあって、すぐにそれをやめることができない時は、正直に相手にそう言ってください。「君が僕と話をしたいのはわかってる。僕も君の話が聞きたいよ。でも、ちゃんと集中して聞きたいんだ。だから、あと十分時間をくれないかな。これをやり終えたら、一緒に座って君の話をしっかり集中して聞けるから」といったアプローチが建設的でしょう。こういったリクエストはたいてい相手に尊重されるはずです。

3　相手の感情を聞き分けること。「夫・妻はどんな気持ちなんだろうか」と心の中で考えてください。答えがわかったと思ったら、それを確かめてください。たとえば、「私が……を忘れたことで、あなたをすごくがっかりさせたみたいね。そうなの?」と尋ねてみるのです。そうすることで、相手に自分の感情を明確にするチャンスを与えるのです。それに、相手の話をしっかり聞いていることを伝えることにもなります。

4　ボディーランゲージを観察すること。こぶしを握りしめる、手を震わす、涙を流す、眉を寄せるなどの動作、また目の動きなどは、相手がどんな感情をもっているかを知る手がかりとなります。時折、ボディーランゲージと口から出てくる言葉が、別のメッセージを語っているということがあります。その場合は、相手が本当は何を考え感じているのか、それをあなたが正しく理解しているかどうか、相手に尋ねて確認してください。

5　絶対に相手の話をさえぎらないこと。最近の調査によると、相手の話をさえぎって自分自身の考えや意見をさしはさむまでに、平均でたったの十七秒間だそうです。

もし私があなたの話に細心の注意を払おうとするなら、私は弁解したり、非難したり、自分の立場や見解を独断的に主張したりするのを控えるはずです。私の目的は、あなたの考えや思いを発見することにあるからです。自分の正しさを主張することや、あなたの誤りを正すことではなく、あなたを理解することが、私の目的だからです。

話すことを学ぶ

充実した会話に欠かせないのは、「親身に話を聞く」ということだけではありません。自らの本心を明らかにするという自己表現も必要です。「主人がもっと話をしてくれると嬉しいんだけど。何を考えているのか、何を思っているのか、全然わからないわ」と言う妻は、親密感を求めているのです。彼女は夫ともっと近しい関係になりたがっているのですが、よく知らない相手と親しくなれるわけがありません。この女性が「愛されている」と感じるためには、彼女の夫が自己表現することを学ばなければいけません。もし彼女の愛の一次言語がクオリティ・タイムで、充実した会話が方言ならば、彼女の夫は、自分の考えや思いを彼女に語って教えてあげる必要があります。彼がそうしない限り、決して彼女の感情的な愛のタンクが満タンになることはありません。

自己表現が苦手という人がいます。考えや感情を表に出すことを咎められる家庭で育った大人は少なくありません。おもちゃが欲しいと言うと、家計のやりくりについて親からお説教されます。その子は「欲しい」という願望を持ったことに罪悪感を持ち、自分の願望・欲望を表現してはいけないことをすぐに習得します。

その子が怒りを表すと、親は厳しく非難します。それでその子は、怒りの感情を表すのは不適切だと思うようになります。また、父親と店に行けないことでがっかりしたが、その残念な思いを表に出すのはいけないことだ、と思わされたとします。するとその子は、残念な思い・失望を自分の内側に閉じ込めることを身につけます。

その子が成人して大人になる頃には、すっかり自分の感情を否定するようになっているのです。こうして私たちは、自分自身の感情に疎くなってしまうのです。

妻が夫に、「ドンがしたことについて、どんなふうに感じてる?」と尋ねます。夫は、「ドンは間違ってると思うよ。彼のやるべきことは……」と答えますが、それは頭の中の考えを声に出しているのであって、心の内にある心境を語っているのではありません。怒りや痛みや落胆を感じてもおかしくない理由があるのに、あまりにも長い間思考の世界で生きてきたため、自分の感情の存在に気づかないのです。この男性が充実した会話の方言を学ぶのは、外国語を習うようなものでしょう。彼はまず、自らの感情の存在を認めなければなりません。それまでは感情を否定して生きてきましたが、それでもなお自分が感情的な生き物であることを、彼は知らなければならないのです。

充実した会話という方言を学ぶ必要のある人は、まず家庭の外で自分が感じたことに気を留めることから始めてみましょう。小さなメモ帳を持ち歩いて、一日に三回、「過去三時間の間に、自分はどんな感情を経験しただろうか。通勤途中に後ろにぴったりとくっついて運転してきた車のことを、どう感じたか。ガソリンスタンドに立ち寄ってガソリンを入れた時、自動ポンプが止まらずに車の横にガソリンが滴った時、どんな気持ちだったか。職場に着いて、自分の秘書が午前中は別の仕事に回されたと知って、どう思ったか。もう二週間あると思っていたプロジェクトを、あと三日で終わらせるようにと上司に言われた時、どういう心境だったか」というように自分に尋ねてみてください。

それらの感情をメモ帳に書き出し、その原因となった出来事を記憶しておくために、その横に一言つけ加えてください。そうすると次のようなリストになると思います。

出来事	感情
・後ろにぴったりつけて車を走らせた人	・腹が立った
・ガソリンスタンド	・憤慨
・秘書がいない	・当てがはずれてがっかり
・プロジェクトの期限三日内	・フラストレーションと不安

これを一日に三度繰り返せば、自分に感情があることを自覚できるようになります。メモ帳を見ながら、書き込まれた出来事と感情とについて夫や妻に簡単に伝えるという練習を、できるだけ長い期間続けてください。数週間すると、自分の感情を相手に表現することに慣れてくるはずです。そしてついには、家庭内で起こる出来事や、配偶者や子どもたちに対する感情について話すことにも、苦痛を感じなくなります。感情それ自体は良くも悪くもない、ということを覚えていてください。感情は、人生の出来事に対する単なる心理的な反応です。

私たちは、自分の考えや感情に基づいて最終的な決断をします。ハイウェーでぴったりと後ろについて運転する車がいて、それに怒りを覚えたとします。あなたは、「もっと離れて運転してほしい。追い越せばいいのに。警察に見つからないなら、アクセルを踏んで引き離すのに。それともブレーキを急に踏んで、この人の保険会社に新しい車を買ってもらおうかな。でもやっぱりちょっと脇に車を止めて、追い越させたほうがいいな」といったような思いをめぐらすことでしょう。

そしてあなたは、ついにある決断に至ります。もしくは、後ろのドライバーが引き下がるかあなたを追い越すかして、あなたは安全に職場に到着するのです。人生の一つ一つの出来事において、感情、考え、願望そして最終的な決断と行動があります。自己表現とは、その過程を外に向かって表現することです。充実した会話という愛の方言を学ぶためには、そうすることが必要です。

性格タイプ

誰もが自分の感情に疎いわけではありません。しかし「話す」ことに関して言えば、私たちのすべてが性格に影響されています。私の観察では、基本的な性格タイプは二つあるようです。一つは、「死海タイプ」です。小さなイスラエルの国にあるガリラヤ湖の水は、南端からヨルダン川へと流れて死海へたどり着きます。死海には水の出口がありません。死海は、受け取るだけで与えないのです。

「死海タイプ」の性格の人は、一日を通して多くを体験し、感じ、考えています。しかし、それらの情報を保管する大きな貯水槽を持っているので、入ってきたものを外に出して話さなくても完全に満ち足りていられるのです。「死海タイプ」の人に、「どうして黙り込んでるの？　どうかしたの？」と聞いても、おそらく「別に。なんでどうかしたと思うのさ？」という返事が返ってくるでしょう。これが正直な答えなのです。このタイプの人は、話をしなくても満足です。たとえシカゴからデトロイトまでの長距離をドライブする間に一言もしゃべらなくても、完全にハッピーでいられるのです。

その正反対の性格が「せせらぎタイプ」です。目の門・耳の門から入ってくるものはすべて口の門から出ていく、というおしゃべり型です。入ってから出ていくまで六十秒あれば長いほうです。このタイプの人は、見るもの・聞くもの何でも他人に告げます。もし家に話し相手がいなければ、「ねえ、聞いて」と誰かに電話をかけるでしょう。電話で誰も捕まらない時は、独り言を言うかもしれません。情報をためておく貯水槽を持っていないからです。多くの場合、「死海タイプ」の人は「せせらぎタイプ」の人と結婚をします。それは、交際中には、二人のバランスが魅力的に見えるからです。

あなたは「死海タイプ」で、「せせらぎタイプ」の人とデートに出かけるとします。あなたはすばらしいひと時を過ごせるはずです。「何を話したらいいんだろう? どうしたら話が途切れないようにできるだろう?」と心配する必要はありません。それどころか、まったく何も考えずにすむのです。ただうなずいて、「ああそう。へえー」と言っていれば、相手が時間を全部埋めてくれます。そしてあなたは、「なんてすてきな人だろう」と言いながら家に帰るのです。

一方、あなたが「せせらぎタイプ」で、「死海タイプ」の人とデートに出かけるとします。あなたも、すばらしい時を過ごすことでしょう。「死海タイプ」の人は、世界一の聞き上手だからです。あなたは三時間でも話し続けられます。相手はあなたの話をじっと聞いてくれ、あなたは「なんてすてきな人だろう」と言いながら家に帰ります。

こうしてあなたたちは、お互いに惹かれ合うのです。ところが結婚して五年後。「せせらぎタイプ」の人は、ある朝目を覚まして、「結婚して五年にもなるのに、私はこの人のこと全然知らないわ」とはたと気づくのです。「死海タイプ」の人は、「彼女のことは嫌というほど知りすぎてるよ。ちょっと流れをせき止めて、休ませてほしいよ」と思うわけです。

幸いなことに、「死海タイプ」の人は話すことを学べるし、「せせらぎタイプ」の人は聞くことを学べます。自分の性格に影響はされますが、それに支配されているわけではないのですから。

新しいコミュニケーションのパターンを学ぶ一つの方法は、その日に起こった出来事を毎日三つ選んで、それについて感じたことを夫婦で話し合う時間を持つことです。私はこのことを、健全な結婚生活に必要な「最少一日必要量」と呼んでいます。この最少必要量からスタートすれば、数週間後さらに数か月後には、開放的な充実した会話が二人の間に行き交うようになるはずです。

有意義なアクティビティ

「クオリティ・タイム」という愛の言語の本質は、配偶者に心から注意力を注ぐことです。有意義なアクティビティも、この言語に含まれる一つの方言です（訳注・アクティビティ〈activity〉とは、趣味、行事、行動、作業などの様々な活動を包括的に意味する言葉）。

私は、ある結婚セミナーに集まった既婚者カップルたちに、「私は（　　　　）時に、夫・妻に愛されていることを最も感じる」という文章の空白を埋めてもらったことがあります。結婚して八年になる二十九歳の男性は、「私は、私が（または妻が）やりたいことを二人で一緒にする時に、妻から愛されていることを最も感じる」と答えました。彼は、「一緒に何かすると、二人でもっと話をするようになる。それに、交際していた頃に戻ったように感じる」と言いました。これは、クオリティ・タイムを愛の一次言語とする人の典型的な回答です。一緒にいること、一緒に何かをすること、互いにしっかりと心を傾けることが重視されています。

実際にするアクティビティは、片方または両方が関心を持っていることならば何でもいいのです。何をするかが重要なのではなく、なぜそれをするかが重要なのです。有意義なアクティビティの目的は、体験を共に分かち合うことにあります。それをすることで、「彼は私のことを思ってくれる。私の好きなことを一緒にやってくれる。嫌々ではなく積極的にやってくれる」と感じることなのです。これは愛です。この方言を持つ人にとっては、これが一番大きな愛の叫び声になるのです。

トレイシーは、シンフォニーに囲まれて育ちました。小さい頃には、クラシック音楽が家中に満ち溢れていて、少なくとも一年に一回は、両親と一緒にクラシックのコンサートに出かけました。一方、ラリーは、ウエスタンやカントリー・ミュージックを聞いて育ちました。コンサートには一度も行ったことはありませんでしたが、ラジオからはいつもカントリー・ミュージックが流れていたのです。彼は、シンフォニーのことを「退屈な環境音楽」と呼んでいました。トレイシーと結婚しなければ、シンフォニーなど一生聞かずに過ごしたことでしょう。

結婚する前、まだ恋愛に夢中の頃、一度だけシンフォニーを聞きに行きました。しかし恋愛の幸福感に浮かれていたその時でさえ、「これのどこが音楽なんだ?」というのが彼の意見でした。ですから、二度と行くつもりはなかったのです。ところが結婚して数年経った頃、彼はトレイシーの愛の一次言語がクオリティ・タイムであることを発見しました。さらには、「有意義なアクティビティ」が彼女の好む方言であること、シンフォニーを聞きにいくことがそのアクティビティの一つであることを知りました。

そこでラリーは、積極的にシンフォニーに行くことを決心したのです。彼の目的は明確に定まっていました。それは、コンサートに行くことではなく、トレイシーを愛すること、彼女の愛の言語をはっきりと語ることでした。やがてシンフォニーのよさが少しわかり始め、時には楽章の一つや二つは味わえるようにもなりました。ラリーがシンフォニーの大ファンになることは一生ないかもしれません。しかし、トレイシーを愛することに関してはかなりの達人になりました。

有意義なアクティビティには、花壇を作る、蚤の市をぶらつく、骨董品を見にいく、音楽を聞く、ピクニックをする、長い散歩に出かける、暑い夏の日に車を洗うなど、いろいろな活動があるでしょう。新しいことを体験したいという気持ちさえあれば、興味・関心の数だけのアクティビティがあるのです。

有意義なアクティビティに肝心なことは、(一)少なくともどちらか片方がやりたがっているということ、(二)もう片方に喜んでやる意思があること、(三)なぜそれをするのか、すなわち、一緒にいることでお互いに愛を示すためという目的を両方が理解していること、です。

有意義なアクティビティには、「いつまでも残る思い出」という副産物があります。朝早く浜辺を散歩したこと、春の日に花壇に花を植えたこと、森の中でうさぎを追いかけて毒ツタにかぶれたこと、初めて二人でプロ野球の試合を観戦した夜のこと、彼が足の骨を折った最初で最後のスキー旅行、一緒に行った遊園地、コンサート、大聖堂、それにハイキングで三キロ歩いて到着した滝の下に立った時のあの感動。こういったことを一緒に思い出すことができる夫婦は、幸せな夫婦です。その滝のしぶきさえ昨日のことのように思い出されます。特に一次言語がクオリティ・タイムの人にとっては、こういう思い出は「愛の思い出」なのです。

では、こうした質の高い有意義なアクティビティの時間をどうやって作ればいいのでしょうか。特に、夫婦が二人とも家の外で仕事をしている場合、どうしたらいいのでしょう? それは、昼食や夕食の時間を作るのと同じように時間を作り出せばよいのです。食事が健康に欠かせないように、質の高い時間も結婚生活には欠かせないからです。

「難しそう。入念なプランが必要なんでしょうね?」と尋ねる人には、「はい」と答えます。「ひとりだけでするアクティビティをあきらめなくちゃいけませんか」という質問には、「おそらくいくつかは」と答えます。「自分ではあまり楽しいと思わないことでも、やらなくちゃいけませんか」と聞かれれば、「もちろんです」と答えます。「やる価値はあるのでしょうか」疑いの余地はありません。「それをやって、私自身に何の益があるのでしょう?」それは、あなたから「愛されている」と感じている配偶者と共に生活する喜び、夫や妻の愛の言語を能弁に話すことを学び取った喜びですよ。

第一の愛の言語「肯定的な言葉」と第二の愛の言語「クオリティ・タイム」を私に教えてくれ

たリトル・ロックのビルとベティ・ジョーに一言お礼を申し上げます。さあ、次はシカゴへと移動して、第三の愛の言語へと進んでいきましょう。

あなたの結婚相手の愛の言語が「クオリティ・タイム」なら

1　あなたか配偶者の育った町並みを一緒に散歩しながら、子どもの頃について尋ねてみましょう。「子どもの頃に楽しかった思い出は何？　一番つらかった思い出は？」と。

2　公園に行き、足こぎボートや自転車を借りて少し疲れるまでこいでみましょう。そのあと、座って池のあひるでも眺めます。あひるの鳴き声に飽きてきたら、バラ園や植物園を歩いて、何色のバラが好きか、どうしてかなど尋ね合ってください（無理して自転車やボートをこぐ必要はありません）。

3　春や夏の季節にお昼に会う約束をします。待ち合わせをして、車で近くの静かな公園まで出かけます。敷物の上に座ってサンドイッチを食べながら、二人が生きていることを神様に感謝してください。そして一生のうちにやりたいと思うことを、一つお互いに話し合ってください。

4　一緒にできたら楽しいだろうと思うことを、相手に五つほどリストに挙げてもらってください。それから五か月の間、その中から一か月に一つ実行する計画を立ててください。金銭的に困難な場合は、お金をかけずにできることを、お金の余裕がなくてはできないことの間に挟んで間隔を取りましょう。

5　どこに座って会話するのが一番楽しいか、夫や妻に尋ねてみましょう。その次の週、「今週は、あなたの好きな黄色いソファに座って話をしようか。いつがいい？　何時がいい？」と電話をかけてください（もちろん、相手の一番好きな会話の場所がジャグジー風呂だったら、黄色いソファと言ってはいけませんよ）。

6　フットボール、シンフォニー、ジャズ・コンサート、テレビを見るなど、配偶者は楽しいと思っても、あなた自身はあまり興味のないアクティビティを考えてみてください。そして、視野を広げたいからそのアクティビティを今月一緒にやってみたい、と言ってください。やる日を決めて、集中して関心を注ぐ最善の努力をしましょう。コマーシャル、休憩時間、幕間などの間に、そのアクティビティについて相手に質問してみるのもいいでしょう。

7　半年以内に週末に二人で旅行をする計画を立てましょう。職場と連絡を取りながらとか、テレビのニュースが気になるなどという週末であってはいけません。どちらか片方が、または両方が楽しめることをして、一緒にリラックスすることに専念しましょう。

8　毎日、その日の出来事をお互いに話し合う時間を作りましょう。お互いの話を聞いているよりもテレビのニュースを見ている時間のほうが長い、というのはいけません。そのままでは、一生の伴侶である夫や妻よりも、ボスニア情勢のほうに関心が傾くようになってしまいます。

9　三か月に一度、「自分の歴史を振り返ろう」という夕べを持ってみましょう。一時間、お互いの歴史を振り返り、次のような質問を五つ選んで尋ね合います。

(1)　学生時代、一番良かった先生、一番悪かった先生は誰？　なぜ？

(2)　親に誇りに思われていると感じた時はいつだったか。

(3)　母親の犯した最大の過ちは何か。

(4)　父親の犯した最大の過ちは何か。

(5)　小さい頃、信仰について覚えているのは何か。

毎回、話し合いを始める前に、どんな質問をするのか決めておくことが大切です。五つの質問を終えたあとに、次回の質問を五つ決めるのがよいでしょう。

10　暖炉（暖炉がなければ、ランプやキャンドル）の前に陣取って一夜を明かしましょう。毛布と枕を床に敷いて、スナックや飲み物を持ってきます。テレビは壊れているということにして、交際していた頃のように語り合いましょう。夜明けまで話をしてもいいし、成り行きにまかせましょう。床に座るのがつらくなったら、寝室に移って寝てもいいです。忘れられない一夜となるでしょう。

第6章

第三の愛の言語――「贈り物」

シカゴで人類学を勉強していた私は、詳細な民族分布図を見ながら、とても興味深い民族の数々を、世界中に訪ねて回りました。中米に飛んでマヤ族とアズテック族の高等文化を勉強したこともあります。また、太平洋を渡ってメラネシアとポリネシアの部族民についても研究しました。さらには、北部ツンドラのエスキモーや日本の土着民族であるアイヌ族についても学びました。

私が研究調査していたのは、それらの民族における愛と結婚にまつわる文化的様式でした。そして調査したすべての文化において、贈り物をするという行為が、愛と結婚の過程の一部であることを発見したのです。

人類学者というものは、普遍的に浸透する文化様式に非常に心を惹かれます。私もそうでした。「贈り物を与えるという行為は、文化の壁を越えた根源的な愛情表現なのだろうか。愛情には、いつも与えるという概念が伴うのだろうか」

こうした問いかけは、学究的であり、少々哲学的でもあります。しかし、もしその答えが

「イエス」だとすれば、それは北米や日本に住む既婚者カップルにとっても重大な、そして実際的意味を持つことになるのです。

カリブ・インディアンの文化を研究するために、ドミニカ諸島に行った時のことです。その旅行中にフレッドと知り合いました。フレッドは、二十八歳の黒人男性で、カリブ人ではありませんでした。彼はダイナマイトを使う漁の最中に事故で片手を失い、漁師を続けることができなくなっていました。私は、「時間ならいくらでもある」という彼の付き添いを歓迎しました。一緒に過ごす中で、彼は自分の文化についていろいろ語ってくれました。

初めてフレッドの家を訪れた時、「ゲーリーさん、ジュースをいかがですか」と聞かれました。私は「ぜひ飲ませてください」と答えました。すると彼は、弟のほうを振り向いて「ゲーリーさんにジュースを持ってきて」と言いつけました。弟はほこりっぽい道を歩いていくと、ココナッツの木に登り、熟してない青いココナッツの実を手にして戻ってきました。フレッドが「割って」と命じると、弟はココナッツの頂点に鉈を素早く三度振り下ろし、三角の穴を開けました。フレッドは私にそのココナッツを手渡して、「はい、ジュースをどうぞ」と言いました。熟していないココナッツだったのですが、私はそれをすべて飲み干しました。そのココナッツが友情という愛の贈り物であることを知っていたからです。私は彼の友達で、友達にはジュースをあげるのです。

何週間にも及んだ滞在もいよいよ最後の時を迎えました。その小さな島を去る時、フレッドは友情のしるしとして、お別れのプレゼントをくれました。それは、彼が海から拾ったという三十五センチほどの曲がった枝木でした。その枝は波に洗われて、表面はすべすべとなめらかでした。ドミニカの海辺に長いことあった棒だ、とフレッドは言いました。そして、ドミニカの美しい島を思い出すためにその棒を持って帰ってほしいと言いました。今でもその枝木を見ると、カリブ海の波の音が聞こえてくるような気がします。そしてその贈り物は、ドミニカを思い出させるだけでなく、友の愛をも思い出させてくれるのです。

贈り物というのは、それを手に取って「ほら、彼は私のことを考えてくれた」とか「彼女は僕のことを覚えていてくれた」とか言えるものです。私たちが贈り物をするのは、相手のことを心に留めているからです。贈る品物自体は、内にあるその思いを象徴するシンボルです。お金がかかるかどうかは重要ではありません。大切なのは、あなたがその人のことを思った、という事実です。そして、その思いは単に心の中に芽生えただけではなく、実際に贈り物を用意して相手にプレゼントするという愛の表現となって表に現れたことが、深い意味を持つのです。

母親は、子どもが庭の花壇から花をちぎってプレゼントしてくれた日をしっかり覚えています。本当は花をちぎってほしくはなかったとしても、子どもに愛されていることを感じるからです。子どもは、幼児期の頃から、親にプレゼントをしたがるものです。これもまた、贈り物をすることが基本的な愛の表現であることを暗示しているのかもしれません。

贈り物は、目に見える愛のシンボルです。よく結婚式で指輪の交換が行なわれます。儀式を執り行なう人が、「この指輪は、二人を愛で永遠に結びつける目に見えない霊的な絆を、目に見える形で表すシンボルなのです」と説明してくれます。この説明は、単なる無意味な美辞麗句ではありません。この言葉の中には、意義深い真実が込められているのです。シンボルには、感情的な価値があるということです。

このことがはっきりしてくるのは、結婚崩壊が目前に迫った夫婦が、結婚指輪をはめなくなる時です。それは結婚が深刻な危機にあることを目に見える形で象徴しています。ある男性がこう話してくれたことがあります。「妻は、結婚指輪を私に投げつけると、ドアを叩きつけるように閉めて家を出ていきました。その時、私たちが夫婦として危機的な状態にあることに気づいたんです。丸二日間、妻の投げ捨てた指輪を拾うことができませんでした。やっとそれを拾い上げた時、私は抑えきれずに泣き出してしまいました」

彼にとってその指輪は、結婚のあるべき姿を象徴したシンボルでした。しかし今、妻の指にではなく彼のてのひらにあるその指輪が、ボロボロになった結婚生活の目に見える象徴となってしまったのです。ポツリと寂しげなその指輪は、彼の内側にある深い感情を揺り動かしました。

愛の視覚的なシンボルをどれほど大切だと思うかは、人それぞれです。結婚指輪に対する態度が人によって違うのもそのためです。結婚式以来、一度も指輪をはずさない人もいれば、指輪などめったにはめない人もいます。これもまた、様々な愛の一次言語があることを物語っています。贈り物が私の愛の一次言語ならば、私は妻にもらった指輪を貴重な品として大事に指にはめているでしょう。そして長い結婚生活の日々に贈られる他のプレゼントも、大きな感動をもって受け取るはずです。それらの贈り物を愛の表現として解釈するからです。贈り物という視覚的な愛のシンボルがなければ、妻の愛を疑うかもしれません。

贈り物には、いろんなサイズ、色、形の物があります。値段の高い品物もあれば、お金のかからないものもあります。贈り物が一次言語の人にとっては、品物の値段はあまり重要ではありません。もちろん、億万長者の夫からのプレゼントがいつも一ドルの品物だったら、妻はそれが愛の表現かどうかを疑うかもしれません。しかし反対に、家計が苦しい中からの贈り物であれば、たとえ一ドルの品物でも百ドルの価値をもって愛を語るのです。

プレゼントは、買った物でも、見つけた物でも、作った物でもかまいません。ふっと道端で立ち止まり、野の花を摘んで妻に贈る夫は、愛のコミュニケーションを取る方法をしっかりと見出した男性です（もちろん、彼女に花粉アレルギーがある場合は別ですが）。少しは金銭の余裕があるという人は、数百円もあればきれいなグリーティングカードを買うことができます。買えない人は、お金をかけずに手作りのカードを作ることができます。職場のリサイクル用の紙を一枚取り出して、ハサミでハート型に切り抜き、それに「愛してるよ」と書いて、その下に自分の名前を書けばいいのです。とにかく、贈り物の値段にこだわる必要はありません。

「贈り物をするのは苦手。私が育った家にはそういう習慣がなかった。だから、どうやってプレゼントを選んだらいいのかわからない。私には自然にできることじゃない」という人もいるでしょう。安心してください。苦手だと気づくことが、愛情たっぷりの夫や妻になるための第一歩です。自分と相手が異なる愛の言語を話すという事実を発見した今、次にすべきことは二次言語の習得です。夫や妻の愛の一次言語が贈り物なら、贈り物上手になればいいのです。実は、この愛の言語は学ぶのが一番簡単な言語なのです。

まずはじめに、今までにあなたの夫や妻がもらって非常に喜んだ贈り物を、すべてリストに挙げてください。あなたがあげた物だけでなく、家族や友人からの贈り物も含めて結構です。そのリストを見れば、喜ばれるプレゼントが何か見えてくるでしょう。リストにあるような贈り物をどうやって選んだらいいのかよくわからないという人は、あなたの夫や妻をよく知っている家族の助けを借りましょう。その間にも、自分で探したり、買ったり、作ったりできる贈り物を選んでください。それをプレゼントするのに、特別の機会を待つ必要はありません。もし贈り物が相手の愛の言語なら、あなたがあげる物は何でも愛の表現として受け取ってもらえるでしょう（過去に、贈ったプレゼントに難癖をつけられたことがある、何をあげても喜んでもらえないという人がいるなら、それは相手の愛の一次言語が贈り物ではない証拠です）。

贈り物とお金

贈り物上手になるためには、金銭に対する態度を改める必要があるかもしれません。私たちは、金銭の目的について、それぞれ個人的な意見・認識を持っています。金銭の使い方に対しても様々な感情を持っています。消費型の人もいれば、貯蓄・投資型の人もいます。お金を使うことで満足する人もいれば、お金を貯めたり賢い投資をしたりすることで満足する人もいるのです。

消費型の人は、夫や妻のためにプレゼントを買うことに、あまり困難を感じません。しかし貯蓄型の人は、愛の表現にお金を使うという考えに対して抵抗を感じるでしょう。このタイプの人は、自分のためにもお金を使いません。ですから、「なぜ妻や夫に物を買わなければならないのか」と思うわけです。しかしこの人は、実際には自分のために買い物をしていることに気づいていません。お金を貯蓄・投資することで、自己価値や安心感を購入しているのです。金銭の扱い方で、自分の感情的必要を満たしているのです。そのおかげで、配偶者の感情的必要は満たされないのです。

もしあなたの夫や妻の愛の一次言語が贈り物なら、あなたができる人生で最高の投資とは、相手にプレゼントを買って贈ることではないでしょうか。そうすることで、あなたは夫婦の関係に投資をし、相手の感情的な愛のタンクを満たしているのです。ラブタンクが満たされると、相手もあなたの一次言語で愛情を返してくれることでしょう。こうしてお互いの感情的必要が満たされる時、二人の結婚生活は新たな深みを増してきます。いつまで経ってもあなたは貯蓄型でしょうから、貯金の心配はしなくても大丈夫。きっといつでも貯金はできているはずです。しかし結婚相手への愛の投資こそが、人生の優良株への投資なのだ、ということを忘れないようにしましょう。

あなた自身という贈りもの

手に取ることのできる物質的な贈り物よりも、さらに明確に愛を伝えることができる無形のプレゼントがあります。それは、「あなた自身」という贈りもの、「そこにいる」という存在感の贈り物です。これは、相手があなたを必要としているその時に、相手のそばにいてあげることです。贈り物が愛の一次言語である配偶者にとって、これは大きな愛を語る贈り物なのです。

ジャンという女性が、かつて私に「主人のドンは、私よりもソフトボールを愛してるんです」と言いました。

「なぜそう思うの?」と私は尋ねました。

「子どもを産んだ日に、彼はソフトボールに行きました。私は午後ずっと病院で寝ていたのに、その間彼はソフトボールをしていたんです」

「出産時にはいてくれたの？」

「産まれるまではいてくれたけど、十分後にはもうソフトボールをしに出ていきました。私はかなりショックだったんです。二人の人生にとって特別な日だったのに。私はその大切な時間を一緒に過ごしたかったんです。一緒にいてほしかったんです。それなのにドンは、私をほったらかしにして遊びに出かけたんです」

彼女の夫は、出産を終えた妻にバラの花束を贈ったかもしれません。しかしバラの花には、病室でそばにいてあげるほどの愛を伝えることはできませんでした。ジャンがその体験によって深く傷ついていることは、私にもわかりました。彼女は、その子どもが十五歳になった今でも、その出来事をつい昨日のことのように語るのです。さらに探るつもりで、私は「その出来事だけを理由に、ドンが君よりソフトボールのほうを愛してる、という結論に達したの？」と質問してみました。

「いいえ。私の母の葬式の日にも、ソフトボールをしに行ったんです」

「葬式には来たの？」

「ええ、来ることは来ました。でも、終わるとすぐにソフトボールに出かけたんです。信じられませんでした。私の兄や妹は一緒に家にいてくれたのに、夫はソフトボールをして遊んでるんですから」

このあと、私はこの二つの出来事についてドンに尋ねてみました。彼は、それらのことをはっきりと記憶していました。「あいつがその話を持ち出すってわかってましたよ。あいつが陣痛に苦しんでいる間、そして子どもが生まれた瞬間、僕はずっと一緒にいたんです。写真だってたくさん撮りました。ほんとに嬉しくて、早くチームの連中に知らせたくてたまらなかったんです。そんなはしゃいだ気持ちも、その晩病院に戻った時にはすっ飛んでしまいましたけど。ジャンは猛烈に怒ってました。妻の言うことには驚きました。僕は、チームに話したことを喜んでくれるだろうと思ってたんです。

ジャンの母親が亡くなった時ですか。お義母さんの亡くなる前の週に一週間仕事を休んで、病院での手伝いやお義母さんの家の修理をしました。あいつ、そのことは先生に言わなかったんでしょう？　お義母さんが亡くなって葬式が終わったあと、やれることはすべてやったと思いました。それでちょっと一休みしたかったんです。僕はソフトボールが好きなんです。だから、ソフトボールをしながらちょっと気を休めて、それまでのストレスを解消しようと思ったんです。ジャンだって息抜きが必要だとわかってくれるはずだ、と思ったんです。

妻にとって重要なことをやりとげたと思ったんですが、それでも足りなかったようです。その二つの出来事を絶対に忘れさせてくれません。あいつ妻よりソフトボールを愛しているなんて言うんです。そんなのばかげてますよ」

ドンは誠実な男性です。ただ彼は、彼自身の存在感にどれだけの偉大な力があるのかを理解していませんでした。彼がそこにいてくれることが、ジャンにとっては何よりも大切だったのです。あなたの夫や妻の愛の一次言語が贈り物である場合、緊急時や危機の際に実際にそこにいてあげることが、あなたが配偶者に贈ることのできる最も力強い贈りものなのです。あなたの身体そのものが、愛のシンボルなのです。ですから、そのシンボルを取り除けば、「愛されている」という感覚も消えてしまいます。このカップルは、カウンセリングを通して過去の傷と誤解を把握し、ジャンはやがて夫を赦すことができるようになり、ドンもなぜ彼の存在感が妻にとってそれほど大切なのかを理解するようになりました。

配偶者の肉体的な存在感を重視すると思う人は、そのことをきちんと言葉にして配偶者に伝えることを強く勧めます。相手に心の内を読んでもらおうと期待してはいけません。一方、あなたの夫や妻が「今夜と明日と今日の午後は、どうしても一緒にいてほしい」とリクエストしてきたら、その願いを真剣に受け止めてください。あなたには重要なことに思えなくても、そのリクエストに応答しないことで、まったく意図しないメッセージを相手に送ることになるのです。

ある男性がこう語ってくれました。「私の母が亡くなった時です。妻の上司は、葬式のために二時間休みを取ってもいいが、午後はオフィスに戻るようにと妻に言いました。でも妻は、その日は夫が自分を必要としているので、丸一日オフィスには戻れないと答えたんです。するとその上司は、一日仕事に出てこなければ首にするかもしれないと言いました。その時、妻は上司に『仕事よりも夫のほうが大切です』と答えたんです。そして彼女は、その日は一日中私と一緒にいてくれました。私はあの日、彼女に愛されていることをそれまで以上に感じました。妻のその言葉を決して忘れません。ちなみに、妻は首になりませんでした。その上司はその後すぐにいなくなって、彼女が彼の仕事を引き継ぐことになったんです」

この女性は、夫の愛の言語を語りました。そして彼はそのことを決して忘れていないのです。

愛をテーマにした書物のほとんどは、愛の本質が「与える精神」であることを指摘しています。五つの愛の言語のどれも、配偶者に「心を与えること」を促しています。しかし目に見える愛のシンボル、すなわち贈り物を与えられることで、一番はっきりと愛を知ることができる人たちがいるのです。この事実をはっきりさせてくれるのが、私がシカゴで出会ったジムとジャニスの物語です。

この二人は、私の結婚セミナーに参加していたカップルで、その土曜日の午後のセミナーが終わったあとに、私をオヘア空港へ送ってくれることになっていました。飛行機の出発時間まであと二、三時間あるので、レストランに寄りたいかと聞かれました。腹ペコだった私ははいと返事をして、三人でレストランへ向いました。そこで私は、おいしい食事以上のものをいただくことになりました。

ジムとジャニスはイリノイ州中部出身で、お互いから十六キロほどしか離れていない農場で育ちました。結婚してまもなくシカゴへと移り住んでいました。それから十五年の年月を経て三人の子どもを得た二人の話を、私はそのレストランで聞くことになったわけです。テーブルにつくと同時に、ジャニスが「チャップマン先生、先生を空港にお送りしたかった理由は、私たちに起こった奇跡についてお話をしたかったからなんです」と話を切り出しました。私はいつも奇跡という言葉を聞くと、少し気構えてしまいます。その言葉を使う人のことをよく知らない場合は、余計にそうです。「どんなとっぴな話を聞かされるのだろう」と思いましたが、そんな素振りは見せず、ジャニスの話に耳を傾けました。そしてその話に驚かされることになりました。

ジャニスは、「チャップマン先生、神様は先生を用いて私たちの結婚生活に奇跡を起こされたんです」と言いました。気構えていた私は、早速、罪悪感を抱きました。奇跡という言葉に不審の念を抱いた私が、その奇跡の運び屋だと言うのです。さらに注意深く話を聞き始めました。

「私たちは三年前、シカゴで開かれた先生のセミナーに初めて参加しました。その頃の私はもう絶望していました。真剣にジムと別れることを考えていて、彼にもそう告げたあとでした。結婚生活は、もう長い間、空々しいものでした。あきらめていたんです。何年もの間、愛が欲しいと訴えていたのに、ジムはまったくそれに応えてくれませんでしたから。私は子どもたちを愛していましたし、子どもたちが私のことを愛してくれているのもわかりました。でもジムからは何の愛情も感じられなかったんです。実際、その頃には彼を憎むようになっていました。ジムは几帳面で、すべてを型にはめて、規則正しい生活をする人でした。何の意外性もなく日課も決まっていて、誰もそれに割り込むことができなかったんです。

私は長い間、いい妻になろうと努力をしました。セックスもしました。料理、洗濯、アイロンがけ。いい妻がやるべきだと思うことはすべてやりました。それが彼にとって大切なことだと知っていたからです。でも、彼からは何の愛も感じなかったんです。結婚したら私と付き合うのをやめたように、私のことを特に注意を払う必要のない人間だと思っているように感じたんです。感謝もされず、利用されているように感じました。

そんな気持ちをジムに話しても、彼は笑うだけでした。自分たちはこの辺のほかのたくさんの夫婦に全然劣らない結婚生活をしている、と言うんです。なぜ私がそんなにみじめなのかわからないようでした。支払いもできているし、いい家にも住んでいるし、新車もあるし、外で働くのも働かないのも自由だ。不満ばかり言わないで満足するべきだって言われました。私の気持ちをわかろうとさえしてくれなかったんです。完全に拒絶されていると思いました」

ジャニスは、紅茶を横に押しのけて、身を乗り出して続けました。「そんな時、それが三年前ですけど、先生のセミナーに参加したんです。それまで一度も結婚セミナーなどに行ったことはありませんでした。どんなものなのか予想もつきませんでしたし、正直言うとあまり期待もしていなかったんです。誰にもジムを変えることなどできない、と思っていましたから。セミナーの間も終わってからも、彼はほとんど口を開きませんでした。興味はあるみたいでしたし、先生のことを面白いとは言いましたが、セミナーの内容については何も話しませんでした。私も、まあ期待してなかったわけですし、あえて尋ねることもしませんでした。前に言ったように、私はその頃はもうあきらめていましたから。

セミナーは土曜日の午後に終わって、その日の夜と翌日の日曜日は、ほとんどいつもと変わりませんでした。ところが月曜日の夕方、仕事から帰ってきたジムが、バラの花をくれたんです。『これ、どうしたの？』と尋ねると、『道端の花屋で買った。いつもよくやってくれてるから、そのお礼だ』と言いました。私は『優しいのね。ありがとう』と言って泣き出してしまったんです。その日、怪しげなカルトの信者がバラを売っているのを見かけたので、主人がその若い男の人からバラを買ったんだと頭ではわかっていました。それでも構いませんでした。大切なのは、ジムがバラをくれたことだったんです。

その翌日、火曜の午後一時半頃、ジムがオフィスから『夕食にピザを買って帰ろうか？』と電話をしてきました。夕食を作らずにすむので、私が喜ぶんじゃないかと思ったそうです。私は『いいアイディアね』と答えました。その日の夕方、ジムはピザを持って帰宅し、家族でとても楽しい夕食のひと時を過ごしました。子どもたちもピザが大好きで、お父さんにありがとうって言ってました。私はジムに抱きついて、『とても楽しい夕食だったわ』と言ったのを覚えています。

水曜日には子どもたちにクラッカー・ジャック（訳注・ポップコーンにキャラメルをまぶしたお菓子）を一箱ずつ、私には鉢植えを買って家に帰ってきました。『バラは枯れるから、長持ちするのも欲しいかなと思った』って言うんです。夢でも見ているのかしらと思い始めました。ジムがしていることが信じられなかったし、なぜなのかもわかりませんでした。

木曜日の夕食のあと、彼からカードを手渡されました。それには、自分は愛を表現するのが下手だ、でもどんなに君を大切に思っているかをこのカードで伝えたい、という内容のメッセージが書かれていました。私はまた目に涙を浮かべて、彼を見上げました。そして抱きついてキスせずにはいられなかったんです。

彼は『土曜にベビーシッターを雇って、二人だけでどこかディナーに出かけよう』と提案してくれました。私は、とても嬉しいと答えました。金曜日の夕方には、彼はクッキーのお店に立ち寄って、私たちが大好きなクッキーを買ってきてくれました。私たちを驚かせたくて、デザートを買ってきたとだけ言って、それが何かは開けるまで秘密でした。

土曜の夜には、私はもう興奮状態でした。ジムに何が起こったのか、それがどのくらい続くのかはわかりませんでしたけど、最後まで存分に楽しませてもらおうと思ったんです。そしてレストランでのディナーのあと、とうとう彼に『どうしたの？　何が起こったのか話して』と尋ねたんです」

ジャニスは、私をじっと見て言いました。「チャップマン先生、この人は結婚して以来、たったの一度も花をくれたことなどなかったんです。どんな時にもカード一枚もくれたことがなかったんです。『カードなんかお金の無駄だよ。ちらっと見てポイと捨てるんだから』といつも言ってたんです。それに結婚生活五年の間に、夕食に出かけたのはたったの一度です。子どもに何かを買ってくることなどまったくなかったし、私にも必需品だけ買うようにと言っていました。夕食にピザを買って帰宅するなんてそれまでに一度もなかったし、毎日私が夕食を準備して待っているのが当然だと思っていたんです。だからこそ、彼の態度の変化はただごとじゃないってわかっていただきたいんです」

私はジムのほうをふりむいて尋ねました。「その土曜日の夜、レストランで『何が起こっているの？』とジャニスに聞かれて、何と答えたの？」

「『セミナーで愛の言語について先生の講演を聞いて、ジャニスの愛の言語が贈り物だとわかった』と言いました。それにもう何年も、いや、ひょっとしたら結婚して以来一度も、プレゼントをしていなかったことに気がついたんです。交際中には花束や小さなプレゼントをあげたことを覚えていますが、結婚してからは『そんな余裕はない』と思ってきたんです。それで、一週間毎日何かプレゼントをしてみて、それで彼女の態度に変化が現れるかどうかを試してみようと決心したんです。レストランで彼女にもそう説明しました。そしてその一週間で、彼女の態度に非常に大きな変化が見えたことは、認めざるを得ませんでした。

『先生が言っていたことは本当だ。正しい愛の言語を学ぶことが愛されているとわかってもらうための鍵だ』と彼女に言いました。そして、それまでの何年もの間、自分がまったく鈍感だったことや、彼女の愛の必要を満たしてあげていなかったことを謝りました。彼女のことを本当に愛している、私や子どもたちのためにしてくれるすべてのことに感謝している、と言いました。神様の助けを得て、残りの人生は贈り物上手な夫になるつもりだ、と言ったんです。

妻は、『でも、これから一生毎日私にプレゼントを買い続けることなんかできないわよ。そんな余裕はないでしょう』と言いました。僕も『まあ、毎日じゃなくても、少なくとも一週間に一回はする。それだけでも、過去五年に君にあげたプレゼントの数に比べれば、一年に五十二個は増えることになるからね。それに全部買うと誰が言った？　自分で作るのもあるかもしれないぞ。それとも、チャップマン先生のアイディアを借りて、春になったら庭の花を摘めばお金はかからないし』とも言いました」

そこでジャニスが口を挟みました。「先生、彼が何かプレゼントをくれなかった週は、この三年間で一度もないと思います。まるで生まれ変わったみたい。私たち、本当に信じられないほど幸せになったんです。今じゃあ、子どもたちにも『おしどり夫婦』と呼ばれています。私のラブタンクは満タンで、満ち溢れています」

私はジムをふりむいて、「それでジム、君のタンクは？　ジャニスに愛されていると感じてる？」と尋ねました。

「はい。僕は妻に愛されているといつも感じていました。彼女は世界一家事のできる妻なんです。料理も抜群だし、私の服を洗ってアイロンをかけてくれます。子どもたちの世話もよくやってくれます。妻に愛されていることは、充分にわかっています」。ジムはそう答えて笑顔を浮かべました。「僕の愛の言語が何か、先生にもわかるでしょう？」

ジムの愛の言語が何かは明白でした。そしてなぜジャニスが奇跡という言葉を使ったのかもわかりました。

贈り物は、高価な物である必要はありません。また毎週あげなくてもいいのです。この言語を話す人にとって、贈り物の価値は、金額にではなく愛にあるのです。

それでは、第七章でジムの愛の言語についてきちんと説明することにしましょう。

あなたの結婚相手の愛の言語が「贈り物」なら

1　贈り物パレードをしてみましょう。たとえば、朝にはキャンディーなどを一箱そっと置いておきます（健康食にこだわる人なら別の物にしてください）。午後には花を届けさせて（花粉アレルギーでなければですよ）、夜にはシャツや上着をプレゼントします。もし相手が「どうしたの？」と聞いてきたら、「ただあなたのラブタンクを満タンにしようとしてるだけ！」と答えてください。

2　自然界の助けを借りましょう。近所を散歩する時、夫や妻にプレゼントできるものはないか目を配ります。それは小石かもしれないし、棒かもしれないし、花かもしれません（自分の庭の花でない場合は、ちゃんと近所の人に許可をもらうこと）。自然の中に見つけたそのプレゼントに、特別な意味を添えるのもよいでしょう。たとえば、滑らかな小石は、ざらざらした粗い部分がなくなった結婚生活を象徴しますし、一輪のバラの花は、妻の美しさを思い出させます。

3　「手作りのオリジナル」の価値を発見しましょう。夫や妻のために何かプレゼントを作るのです。手芸や芸術のカルチャー教室などに参加して、陶磁器、銀細工、絵画、木彫りなどを作るのもよいでしょう。受講の目的は、配偶者に贈るプレゼントを作ることにあります。手作りのプレゼントは、家宝のように扱われることもあるほどです。

4　一週間、夫や妻に毎日プレゼントを一つあげてみましょう。特別な週でなくてもかまいません。「思い出の一週間」になること間違いなし！　やる気満々の人は、「思い出の一か月」にしてもいいでしょう。そのペースで一生続くとは誰も期待しないので大丈夫。

5　「ギフトアイディア・ノート」を作りましょう。夫や妻が「あれ、いいなあ」とか「あれが欲しいわ」と言うのを耳にしたら、手帳に書き留めておきます。注意して聞いていれば、結構なリストができあがるはずです。贈り物を選ぶ時に大変役立つでしょう（国の景気の活性化にも意欲的な人は、一緒にショッピング・カタログを見るのもいいでしょう）。

6　どんなギフトを選んだらよいのかまったく見当がつかないという人は、夫や妻をよく知っている家族や友人に助けを求めましょう。たいていの人は、ギフトを選んで友人を喜ばせたいと思うものです。特に、お金を出すのがあなたであれば、なおさら快く協力してくれるでしょう。

7　あなた自身を愛のシンボルとして、存在感のプレゼントをしましょう。夫や妻に、「今月、一緒にいてほしいと思うのはいつ？　教えてくれたら、その時には必ずいるように努力するから。それがあなたへのプレゼント」と言うのです。しっかりと心の準備をして、積極的に取り組みましょう。そうすれば、たとえ自分では興味がないと思っていたシンフォニーやホッケーの試合でも、本当に楽しいと思えるかもしれません。

8　夫や妻に本をプレゼントして、自分もそれを読むと心に決めてください。そして、毎週一章ずつ、それについて一緒に話し合おうと提案します。あなたが相手に読ませたい本を選んではいけません。相手が興味を持っているテーマ（たとえば、フットボール、刺繍、金銭管理、子育て、宗教、夫婦生活、キャンピングなど）に関する本を選びましょう。

9　末永く後々にまで残る贈り物として、寄付をしてみましょう。結婚記念日や配偶者の誕生日を記念して、通っている教会や心に留めている慈善団体に献金をするのです。献金がされたことを知らせる通知の宛名は配偶者にしてもらいます。その教会や団体には感謝され、あなたの夫や妻も大いに喜んでくれるでしょう。

10　生きた贈り物をプレゼントしましょう。夫や妻へのお祝いまたは記念として、樹木や花の咲く灌木を買って植えます。あなたが水をやって育てることができるように家の庭に植えてもいいし、他の人も楽しめる公共の公園や林にでもいいです。これは毎年繰り返し喜んでもらえるギフトです。りんごの木などの果樹を植えれば、実をならすようになってから一緒に味わうこともできます（酸っぱい野生りんごはやめておいたほうがいいと思いますが）。

第7章

第四の愛の言語——「サービス行為」

ジムとジャニスの話を終える前に、「ジャニスに愛されていると感じてる？」という私の質問に対するジムの返事をもう一度吟味してみましょう。

「はい。僕は妻に愛されているといつも感じていました。彼女は世界一家事のできる妻なんです。料理も抜群だし、私の服を洗ってアイロンをかけてくれます。子どもたちの世話もよくやってくれます。妻に愛されていることは、充分にわかっています」とジムは言いました。

ジムの一次言語は、私が「サービス行為」と呼んでいる愛の言語です。サービス行為とは、配偶者があなたにやってほしいと願うことを実際にしてあげることです。夫や妻に仕えることで相手を喜ばせたいと願い、相手のために何かをしてあげることで愛を表現することなのです。

料理を作る、食卓の準備をする、皿を洗う、掃除機をかける、タンスの整理をする、洗面台の髪の毛を取り除く、鏡の汚れを拭き取る、車のフロントガラスをきれいにする、ゴミを出す、子どものオムツを替える、寝室のペンキ塗りをする、本箱のほこりをはらう、車の整備をする、車を洗って掃除機をかける、車庫を掃除する、芝生を刈る、庭木を刈り込む、落ち葉をかく、ブラインドを掃除する、犬を散歩させる、猫のトイレを掃除する、金魚鉢の水を替えるなど、これらすべてはサービス行為です。すべて、思考、計画、時間、努力、精力を要する行為です。これを積極的な態度で行なえば、見事に愛を表現することができるのです。

イエス・キリストは、弟子たちの足を洗うという簡素でなおかつ意味の深い行為を用いて、サービス行為による愛の表現を説明しました。サンダルを履いてほこりっぽい道を歩く文化では、その家のしもべが訪れた客の足を洗うというのが習わしでした。

お互いに愛し合うようにと弟子たちに命じたイエスは、たらいと手ぬぐいを手に取って、彼らの足を洗いました。そうすることで、その愛をどう表現すればいいのか模範を示したのです（ヨハネ一三・三―一七参照）。イエスは、愛の表現をシンプルに実践したあと、その自分の手本に従うようにと弟子たちを励ましたのでした。

その以前にもイエスは、彼の御国では仕える者が偉大な者になる、と述べていました。ほとんどの社会では、偉大な者が小さき者を支配します。しかしイエス・キリストは、偉い者は人に仕える、と言ったのです。この理念を要約して、使徒パウロは「愛をもって互いに仕えなさい」（ガラテヤ五・一三）と言いました。

私は、自分の故郷であるノースカロライナ州のチャイナ・グローブという小さな町で、ある出来事を通して、「サービス行為」の愛の効果を発見しました。チャイナ・グローブは、ノースカロライナ州中部の町で、昔はたくさんのセンダンの木々に囲まれていました。かの有名なメイベリー（訳注・一九五〇年代にアメリカで放送されたアンディー・グリフィス主演の人気テレビ番組の舞台となった町）からそれほど遠くない、パイロット山から一時間半ほどの場所に位置しています。

当時のチャイナ・グローブは、人口千五百人の織物業の町でした。私はその十年前に、人類学、心理学そして神学の勉強をするためにそこを去っていましたが、自分のルーツを保つ目的で半年ごとに故郷を訪ねていたのです。

私の知っている人はほとんど皆、織物工場で働いており、例外と言えば医者のシン先生と、歯医者のスミス先生くらいでした。それからもちろん、教会の牧師であるブラックバーン先生も例外です。そんな町でしたから、そこに住むほとんどの夫婦は、仕事と教会を中心にした生活を営んでいました。工場での話題と言えば、工場長の決断とそれが自分たちの仕事にどう影響するかについて、教会の礼拝で語られるのは、おもに天国で受ける待望の喜びについてでした。このようなアメリカの田舎町の素朴な環境の中で、私は第四の愛の言語を発見したのです。

その日、教会での日曜礼拝が終わったあとに私がセンダンの木の下に立っていると、マークとメアリーが近づいてきました。二人は私のいない間にすっかり大人になっていて、最初は誰なのかさっぱりわかりませんでした。マークは挨拶をして、「カウンセリングを勉強しているそうですね」と話を切り出しました。私は笑みを浮かべて、「まあ、少しね」と答えました。するとマークは、「質問があるんです。ことごとく意見の食い違う夫婦でも、うまく生活していけるものなんですか」と尋ねてきました。彼の質問は一般的なものでしたが、その核心は個人的なものだろうとわかっていました。それで私は一般論は無視して、彼に個人的な質問を返しました。

「結婚してどのくらいになるの？」

「二年です」と彼は答えました。「僕ら、全然意見が合わないんです。」

「たとえば？」と私は尋ねました。

「たとえば、メアリーは僕が狩りに行くのに反対なんです。僕は平日はずっと工場で働いてます。だから土曜日には狩りに出かけたいんです。毎週土曜日じゃありません。猟のシーズンの間だけです」

そこで、それまで黙っていたメアリーが口を開きました。「猟のシーズンが終わると、今度は釣りに行くんです。それに狩りをするのは土曜日だけじゃありません。仕事を休んでまで行くんです」

「年に一、二度だけです。二、三日仕事の休みを取って、友達と山に狩りに行くだけです。それの何が悪いんでしょう？」

「そのほかに意見が食い違うことは？」と私は尋ねました。

「僕にしょっちゅう教会に行ってほしがるんです。日曜の朝に行くのは構いません。でも日曜の夜はゆっくりしたいんです。自分が行きたいんなら、行けばいいんです。それは別に構いません。でも僕まで行く必要はないと思います」

ここで再びメアリーが声を上げました。「私にもあまり行ってほしくないくせに。私が出かけようとすると、いつも大騒ぎするじゃない」

教会の前の涼しい木陰で、会話がこんなに熱を帯びてきて大丈夫だろうかと思いました。向上心に燃えた駆け出しのカウンセラーだった私は、自分の手に負えない問題に深入りしてしまうのではないかとためらいも感じました。しかし、質問をして耳を傾けるように訓練されていたので、「ほかにはどんなことで意見が一致しないの？」と続けてみました。

今度はメアリーが答えました。「マークは、私に一日中家にいて家事をしていてほしいんです。私が母を訪ねたり、買い物に行ったり、ほかの用事で出かけたりすると怒るんです」

「母親の顔を見にいくのは構いません」とマークが弁解しました。「でも、僕が帰宅する時までには、家を片づけておいてほしいんです。こいつはベッドを三日も四日もきれいに整えない週があるんです。それに、夕食の準備さえ始めていないことがほとんどです。こっちは一生懸命働いて帰ってくるのに。家に帰ったらすぐに飯を食いたいんです。その上、家はいつもひどい散らかりようです。子どもの物は床に散らばったままだし、赤ん坊も汚いまんま。こいつは豚小屋に住んでも平気みたいだけど、僕は不潔なのが嫌なんです。僕らはお金持ちじゃないし、住んでる家も小さいけど、少なくとも清潔な家に住みたいんですよ」

「じゃあ家のことを手伝ってくれてもいいじゃない?」とメアリーが言いました。「この人はまるで、夫たる者は家のことは何もすべきじゃない、という態度なんです。自分のやりたいことは仕事と狩りだけで、残りは全部私がすると思ってるんです。洗車でさえ、私の仕事だと思ってるんです」

二人の食い違いをこれ以上詮索するより、解決策を見つけるほうがいいだろうと思い、私はマークに目を向けて尋ねました。

「マーク、君は結婚する前の交際中にも、毎週土曜日には狩りに出かけてたの?」

「ほとんどいつも土曜日はそうでした。でも土曜の夜にメアリーと会う時間に間に合うように、ちゃんと家に帰ってきました。たいていは、トラックを洗ってから会いに行けるくらいの余裕を持って帰ってきました。汚れたトラックで会いに行きたくなかったんで」

「メアリー、結婚した時、君はいくつだった?」と私は尋ねました。

「十八歳でした。私が高校を卒業してすぐに結婚したので。マークは一年先に卒業して働いていました」

「じゃあ君が高校三年生の時、マークはどのくらい頻繁に君に会いに来てくれた?」と私は質問しました。

「ほとんど毎日会いに来てました。だいたい、いつも夕方やって来て、よく私の家族と一緒に夕飯を食べたんです。私と一緒に家の手伝いもしてくれて、夕食までの間、座って話をしました」

「マーク、夕食のあとは二人で何をしたの?」と私は尋ねました。

マークは恥ずかしそうな笑みを浮かべて私を見て、「まあ、交際中のカップルが普通やることです」と答えました。

するとメアリーが言いました。「でも、私に学校の課題などがある時は、一緒に手伝ってくれました。二人で何時間も頑張ったことだってあります。三年生のクリスマス・パレードの出し物の係りになった時は、三週間、毎日午後には手伝ってくれました。すごく助かりました」

私は話を変えて、彼らの意見が食い違う三つ目の事柄に焦点を移しました。「マーク、交際中は日曜の夜にメアリーと一緒に教会に行っていたの?」

「はい、行ってました。一緒に教会に行かないと、その夜は会えなかったんです。メアリーの父親は、そういうことに厳しい人だったんで」

メアリーが付け加えて言いました。「この人、全然文句も言いませんでした。それどころか、結構楽しそうでした。クリスマスのプログラムの手伝いもしてくれましたし。学校のクリスマス・パレードのプロジェクトをやり終えたあとは、教会のクリスマス・プログラムのセット作りに取りかかったんです。それには二週間ぐらいかかりました。マークは、舞台セットを建てたりペンキを塗ったりすることになると、すごい才能を発揮するんです」

私には解決の手がかりが見えてきました。しかし、それがマークとメアリーに見えているかどうか、まだ確信がありませんでした。そこで私は、メアリーのほうを向いて尋ねました。「マークと付き合っている時、彼が君のことを愛してるってどうしてわかったの？　それまでに付き合った人たちと、マークはどう違ってた？」

「マークは何でも私を助けてくれる人でした。役に立ちたいって気持ちをもっていてくれたんです。ほかに付き合った人たちはそんなことにまったく無関心だったけど、マークは自然にそうしてくれてるって感じでした。私の家で夕飯を食べた日は、一緒に皿洗いも手伝ってくれたし。最高にすてきな彼だと思ったんだけど、結婚したらすっかり変わってしまいました。今は全然手伝ってくれません」

私はマークに向き直って尋ねました。「結婚前はなぜそんなことをメアリーと一緒にしたの？　どうしてメアリーの手伝いをしたと思う？」

「ただ自然にできたんです。それが、僕のことを好いてくれる人に僕がやってほしいと思うことだったからです」

「結婚したあと、彼女の手伝いをやめたのはなぜだと思う？」と私はさらに尋ねました。

「たぶん僕が育った家庭と同じようになるべきだと思ったからです。僕の家では、父親が働いて、母親が家事をしました。父が掃除機をかけたり、皿を洗ったり、家の周りのことをするのなんか一度も見たことがありません。母は外で仕事をしていなかったので家をいつもきれいにしていて、料理も、洗濯も、アイロンかけもすべて自分でやっていました。それが当たり前だと思ったんです」

私は、マークも解決の光を見つけてくれることを願いつつ尋ねてみました。「『交際中は愛されていることがどうやってわかった？』という質問にメアリーが何と答えたか覚えてる？」

「僕が彼女を手伝って、何でも一緒にしてあげたから」と彼は答えました。

「だったら、君が手伝わなくなった時に、どうして愛されていないと感じるようになったか、わかるかな？」マークは何度もうなずきました。私は続けて言いました。「君が自分の父親と母親の手本に従ったのは自然なことだよ。ほとんどの人がそうしてしまうものだから。でも君のメアリーに対する態度は、交際中に比べたら急激な変化だよね。彼女にしてみれば、君の愛を確かめることのできた唯一の手がかりが突然消えちゃったわけだからね」

それから私はもう一度メアリーのほうを振りいて、こう言いました。「『どうして交際中にはメアリーの手伝いをしたの？』と聞かれてマークが何て答えたか覚えてる？」

「自然にできたって言いました」

「そうだね。それに、『自分を好いてくれる人に自分がやってほしいと思うことだから』とも言ってたよね。彼は君のためにいろんなことをしてくれたよね。それは彼が、誰でもそうすることで愛を表現するんだって思っていたからだよ。だから、結婚して自分の家に住み始めたら、君もそういうことをして彼への愛を示すはずだ、と期待したんだ。君が家をきれいにしてくれる、料理をしてくれるはずだって。要するに、彼を愛してるなら、彼のためにそういうことをするはずだって。ということは、君がそうしないのを見た時、どうしてマークが愛されてないと感じたか、わかる?」メアリーもうなずきました。「僕の勘では、二人とも『何かをしてあげる』という行為で相手への愛を表現していないんだと思う。それが原因で、結婚生活に不満を感じているんだと思う」

「私もそう思います。私がこの人のために何もしなくなった理由は、要求するような彼の態度に腹が立ったからなんです。彼の母親のようになれと言われているようで嫌だったんです」とメアリーが言いました。

私は彼女に同意して言いました。「そうだね。誰だって強制されたら何もしたくなくなるよね。実際、愛とはいつも自由な意思に基づいて与えられるものなんだよ。愛は要求できるものじゃない。お互いに相手に願うことはできるけど、決して要求してはいけない。リクエストは愛に進むべき方向を示してくれるけれど、要求は愛の流れを止めてしまう」

すると、マークが口を開きました。「チャップマン先生、メアリーの言うとおりです。僕は、こいつの妻としてのあり方にがっかりして、口うるさく批判的になっていました。残酷なことも言いました。だからなぜ僕に腹を立てるのか、わかります」

「これを節目に、君たちはわりと簡単に方向転換できると思うよ」私はそう言って、ポケットからメモ用紙を二枚取り出しました。「試しにやってみたいことがあるんだ。君たちそれぞれ、教会の入り口の階段に座って、相手に対するお願い事のリストを作ってみて。マークは、もしメアリーが自分からやりたいと望んでやってくれるなら、こんなことをしてもらうと、家に帰った時に『愛されてるなあ』と感じると思うことを、三つか四つ書き出して。ベッドがきちんと整えられていることが君にとって大切なことなら、それをリストに書いていいよ。メアリー、君ももしマークが自分から喜んで手伝ってくれるなら、こういうことを通して彼の愛を知ることができると思うことを、三つか四つリストに書き出してみて」（私はリストが大好きです。リストを作ると、具体的に考えることを強いられるからです）。

それから五、六分後、二人は私にそれぞれのリストを差し出しました。マークのリストには次のようなことが書かれていました。

・毎日ベッドをちゃんと整える。

・僕が帰宅する前に、赤ん坊の顔を拭いてきれいにする。
・僕の帰宅までに、靴箱に赤ん坊の靴をしまっておく。
・帰宅して三十〜四十五分以内に夕食を食べられるように、せめて僕が家に着く前に夕食の準備を始めていてほしい。

私はそのリストを声に出して読み上げ、マークに言いました。「マーク、君の願いをしっかり理解するために確認しますよ。メアリーがもしこれらの四つのことを自ら選んでするならば、君はそれを自分に対する愛の表現だと見なす、と言ってるんだよね？」

「はい、そうです。もしメアリーがこの四つのことをしてくれたら、僕が彼女に対する態度を改める大きな助けになります」。そうマークは答えました。

私は次にメアリーのリストを読み上げました。

・私に期待しないで、毎週自分で車を洗ってほしい。
・夕方家に帰ってきたら、赤ん坊のオムツを替えてほしい。特に私が夕食の準備をしている時。
・一週間に一度、家に掃除機をかけてくれると嬉しい。
・私が恥ずかしくなるほど庭の芝生を伸ばしたままにしないでほしい。夏の間は毎週刈ってくれると嬉しい。

「メアリー、もしマークがこれら四つのことをしたら、君はその彼の行動を心からの愛の表現として理解する、と言っているんだね?」と私は確認しました。

「はい。これらのことをマークがやってくれたら、とっても嬉しいです」とメアリーは答えました。

「マーク、メアリーのリストは妥当なリクエストだと思う? 君にできることだと思う?」

「はい」とマークは答えました。

「メアリー、マークのリストにあげられたことは、君にとっても妥当なリクエストだと思う? もし君自身がやろうと思ったら、自分にできることだと思う?」

「はい、できます。今までは、何をしてもいつも足りないと思われているようで、圧迫感を覚えていただけです」

私はマークに言いました。「マーク、今ここに提案していることは、君の両親の夫婦生活の模範とは違っていることがわかる?」

「僕の父は芝生を刈ったり、車を洗ったりはしました」

「でも、オムツを替えたり、床に掃除機をかけたりはしなかったわけだよね?」

「そうです」とマークは答えました。

「ここに書かれていることをやらなくてもいいんだ、ということを君に理解してほしい。でも、もし君がこれをやったら、それはメアリーに対する愛の行動になるんだよ」

それから私はメアリーにも言いました。「君も、これらのことをしなくてもいいんだ、ということをしっかり理解してほしい。しかし、もし君がマークへの愛を表現したいと思ったら、ここに彼にとって深い意味を持つ四つの表現方法があるってことを覚えていて。とにかく、二人でこれを二か月間試してみて。二か月後、もし続けてやりたければ、追加のリクエストをリストに加えるといいよ。そして追加したことをお互いに分かち合うんだ。ただし、一か月に一つ以上のリクエストは加えないこと」

「先生のおっしゃることは、すごく理にかなっていると思います」とメアリーは言いました。マークも、「とても大きな助けになったと思います」と言いました。そうして二人は、手をつないで自分たちの車に向かって歩いていきました。私はそれを見ながら、「これが教会のあるべき姿だ。カウンセラーとしてのこれからの仕事が楽しみだ」と呟いたのでした。あの日、センダンの木の下で得た洞察を、私は今でも忘れてはいません。

長年の研究の後に、マークとメアリーが特殊なケースであったことに改めて気づかされました。同じ愛の言語を持つ夫婦に出会うのは、本当に稀なことです。マークとメアリーは、二人とも同じ「サービス行為」を愛の一次言語としていました。多くの人々がマークやメアリーの経験に共鳴し、おもにサービス行為を通して配偶者の愛を感じる、とうなずくのです。靴をしまう、赤ちゃんのオムツを替える、皿を洗う、車を洗う、掃除機をかける、芝生を刈るといったことが、サービス行為を愛の一次言語とする人々にとっては大きな意味を持つのです。

もしマークとメアリーが同じ愛の一次言語を持っていたなら、なぜ二人の間にそのようなもめごとが起こったのかと不思議に思う人もいるでしょう。その答えは、二人が異なる方言を語っていたことにあります。実際、彼らは相手のためにいろんな行為をしていたのです。しかし、相手が最も大切だと考えることをやっていなかったのです。具体的に考えることを強いられて、やっと二人は自分の方言が何であるかをはっきりと確認することができたのです。

メアリーの方言は、車を洗う、赤ん坊のオムツを替える、床に掃除機をかける、芝生を刈ることでした。一方、マークの方言は、ベッドを整える、赤ん坊の顔をきれいに洗う、靴箱に靴をしまう、仕事から帰る前に夕食の準備を始めることでした。それぞれが正しい方言を語り始めた時、彼らの愛のタンクが満たされ始めたのです。二人は、お互いの愛の一次言語がサービス行為だったので、相手の明確な方言を学ぶことがわりあい簡単にできたのです。

マークとメアリーの話を終える前に、ほかに観察したことを三つ整理しておきたいと思います。まず一つ目は、二人の例でわかるように、結婚前に私たちがお互いのためにする行為は、結婚後の行動パターンの目安にはならないということです。交際中は、恋愛妄想の力によって動かされています。そして結婚後には、「恋に落ちる」以前の姿に戻るのです。

私たちの言動は、両親の役割モデル、自分自身の性格や愛に対する認識、自分の感情や必要や願望などに影響にされています。しかし、ただ一つ確かなことは、結婚後の行動は恋愛中に見せた行動とは異なる、ということです。

二つ目は、愛は選択であり、強制されるものではない、ということです。マークとメアリーのお互いの振舞いに対する批判は、効果のない無益なものでした。しかし、要求をお願いに変えることで、彼らの結婚生活はよい方向に向かいました。

批判や要求は、夫婦の仲を裂いていきます。相手が折れるまで非難し続けて、不本意に同意させることはできるかもしれません。しかし、たとえ相手があなたの要求に従ったとしても、それは愛の表現ではありません。「車を洗って、子どものオムツを替えて、芝生を刈ってくれると嬉しい」とリクエストして、愛に方向性を与えることはできます。しかし、愛する意思を起こさせることはできません。私たち各自が、相手を愛するか愛さないか、毎日決断していかなければならないのです。もし愛することを選ぶなら、それを配偶者の願う形で表現するのが、愛を心に伝える最も効果的な方法です。

三つ目は、円熟した愛の人だけが理解することのできる真実です。それは、自分の行動に対する配偶者の批判が、配偶者自身の愛の一次言語に関する最も明確な手がかりを与えてくれる、ということです。人は、自分が感情的に最も必要としていることに関して、相手をことさらに非難するものです。そういった非難は、効果のないやり方ではありますが、それでも愛を求める訴えなのです。そのことを理解すれば、相手の非難をもっと建設的に受け止めることができます。

妻は夫の批判を聞いたあとに、「あなたにとって、それはとても重要なことみたいね。どうしてそんなに大切なのか、説明してくれる?」と言うことができます。多くの場合、批判や非難は更なる説明を必要としています。ですから、あなたのほうから説明を求めて会話を始めれば、最終的にはその非難を要求ではなくリクエストへ変えることができるかもしれません。

マークが狩りに行くことを常に非難していたメアリーは、狩猟というスポーツに対する憎しみを表していたのではありません。彼女は、マークが洗車や掃除機かけや芝生刈りをしないのを、狩りのせいにしたのです。だから、マークが彼女の感情的な愛の言語を語って、彼女の愛の必要を満たし始めたら、猟をすることに何の問題もなく賛成できるようになりました。

玄関マットか愛のパートナーか?

「私は、夫に二十年間仕えて、まめまめしく世話をしてきました。その間、夫は私を無視して虐待してきました。友人や家族の前でも恥をかかせられました。私はまるで彼の『玄関マット』です。いつも彼に踏みにじられ、ないがしろにされてきました。彼を憎んではいません。彼の不幸を願ってもいません。でも彼に憤りを感じているのです。もう一緒に生活したくありません」

この女性の果たしてきた二十年間のサービス行為は、愛の表現ではありませんでした。それは、恐れや罪悪感や憤りから出てくるものだったのです。

玄関マットは、生命のない物です。私たちはそれを足で踏みつけ、靴底を拭きます。足で蹴ろうが何をしようが別に構いません。玄関マットには意志がありません。だから、あなたのしもべにはなれても、愛のパートナーにはなれません。自分の結婚相手を物のように扱うなら、そこに愛が生まれる可能性はまずありません。相手に巧みに罪悪感を持たせて操ること（「おまえがいい妻なら、これをしてくれるはずじゃないか」）は、愛の言語ではありません。恐怖感を与えて相手を威圧すること（「これをしないと、ひどいことになるぞ！」）も、愛とはかけ離れたものです。

誰も玄関マットのように扱われてはいけないのです。たとえ人に利用されることを故意に許したとしても、私たちが感情、思考、願望を持つ生き物である事実に変わりはありません。そして私たちは、決断をする、行動を起こす、という能力を持っているのです。

他人に利用されたり操られたりするのを許しているというのは、本当の愛の行動ではありません。それは実際には裏切りの行為です。相手が非人道的な習慣を身につけていくのを、あなたは見過ごしているからです。愛は、「私をこんなふうに扱うあなたを、そのままにはしておけない。それほど私はあなたを愛している。これは私にとってもあなたにとってもよくないことだから」と語るのです。

固定観念を克服する

サービス行為という愛の言語を学ぶためには、夫と妻の役割に関する固定観念を再吟味することが必要です。マークがしたことは、たいていの人が知らず知らずのうちにやってしまうことです。彼は、自分の父親と母親の模範に従ったのですが、実際にはそれさえもうまくできていませんでした。彼の父親は、洗車と芝生の手入れをしましたが、マークはしませんでした。それが、彼が自分の頭の中に描いた夫の姿だったのです。掃除機をかけたり、赤ちゃんのオムツを替えたりする自分の姿など夢にも思わなかったことでしょう。しかし感心なのは、それがメアリーにとってどれだけ大切かということに気づいた時、彼は進んで自分の固定観念を打ち砕いたことです。配偶者の愛の一次言語が、私たちの夫・妻の役割像に当てはまらないことを求める場合、マークのように固定観念から脱出する努力が必要になるのです。

過去三十年におよぶ社会学的な変化を経た今、もはや男性と女性についての社会一般の固定観念というものは、アメリカ社会には存在しません。しかしだからと言って、すべての固定観念がなくなったわけではありません。むしろ、固定観念の数は増えたのです。テレビ時代になる前は、夫・妻の姿や夫婦関係のあり方に関する概念は、おもに自分の親から影響を受けたものでした。ところがテレビの普及と母子・父子家庭の急増に伴い、役割モデルは家庭の外にある要因に感化されるようになりました。

夫婦の役割に関するあなたの認識が何であれ、多分あなたの配偶者が持つ認識は、それといくらか違ったものであるはずです。愛をもっと効果的に表現するためには、進んで自分の固定観念を吟味して変えていく心構えが必要です。固定観念にしがみついていても報われることはありません。しかし、あなたの夫や妻の感情的必要を満たすことには、膨大な益があるのです。そのことを忘れてはいけません。

最近、一人の女性にこう言われました。「チャップマン先生、私は友達を全員、先生のセミナーに参加させるつもりです」

「どうして?」と私は尋ねました。

「先生のセミナーが私の結婚生活に大変化をもたらしたからです。セミナーに参加する前、ボブは絶対に何も手伝ってくれない人でした。私たちは二人とも大学卒業と同時に就職したのに、家事はすべていつも私の役目でした。手伝うなんて発想は、彼の頭に浮かびもしなかったようです。セミナーに参加したあと、『何か手伝えることある?』と聞いてくれるようになったんです。驚いて、初めは信じられませんでした。でも現在まで三年間、それはずっと続いてます。もちろん最初の頃は、彼が何もやり方を知らないので、腹立たしいことや滑稽なこともありました。初めて洗濯してくれた時なんか、普通の洗剤と間違えて漂白剤を、それも薄めずに使って、ブルーのタオルに白い水玉模様を作っちゃったんですよ。台所の流しのごみ処理機を初めて使った時も、ホントにおかしかった。変な音がするなと思ったら、隣り合った流しの排水口から石鹸の泡が出てきたんです。私がスイッチを切って、排水溝からコインくらいの大きさになった石鹸を取り出すまで、彼も自分が何をしたのかわからなかったみたいです。そんなこともありましたけど、彼は私の言語で私を愛してくれて、私のラブタンクは満たされています。彼も今では家のことは何でもできるようになって、いつも手伝ってくれます。私がいつも家事ばかりしなくてよくなったので、二人で一緒に過ごす時間も断然増えました。もちろん私も彼の言語を学んで、彼のラブタンクも満タンにしています」

さて、すべては本当にこんなに単純なのでしょうか。

単純なのか。はい、単純です。しかし簡単ではありません。ボブは、三十五年間持っていた固定観念を破るために、大変な努力をしなければなりませんでした。容易なことではありません。しかし、そうやって配偶者の愛の一次言語を学んで語ろうと決意したことで、夫婦仲は劇的によくなった、と彼は証言することでしょう。さあ、次の章では、第五の愛の言語について学びましよう。

あなたの結婚相手の愛の言語が「サービス行為」なら

1　過去数週間で夫や妻が口にした願い事をすべてリストに書き出しましょう。その中から毎週一つずつ選んで、愛の表現としてそれを行ないましょう。

2　ハート型に紙を切り抜いて、「今日は――――をしてあなたへ愛を伝えます」という文を書きます。空白の部分に、芝生を刈る、床に掃除機をかける、皿を洗う、犬を散歩させる、金魚鉢を洗うなどと書き込んで文章を完成させます。一か月に三度、そういったラブ・カードを手渡して、実際にそのサービス行為を行なってください。

3　翌月にやってほしいことを十個書き出したリストを作ってくれるよう、相手に頼みましょう。その後、そのリストに一から十まで優先順位の高いほうから番号を振ってもらいます。このリストを参考にして、「愛の月」の計画を立てましょう（満足した幸せな配偶者との生活を体験できる月となるはずです）。

4　夫や妻が不在の間に、子どもたちの助けを借りて一緒に何かサービス行為をしておきます。相手が家に帰ってきた時に、子どもたちと一緒に「お父さん（お母さん）大好き！　だからみんなでこんなことしたよ！」と叫び声で迎えます。そして子どもたちと一緒にしたことを見せてください。

5　夫や妻に絶えずせがまれるサービス行為を一つ思い出してください。その相手の願いの強さを値段に置き換えて考えてみてはどうでしょうか。それは相手にとって非常に大切なこと、大きな価値のあることなのです。もし愛の表現としてそれをしてあげることを選ぶなら、バラの花千本の価値があるはずです。

6　夫や妻のリクエストが小言や非難のように感じられる時は、それを快く受け入れやすい言葉で書きかえてみましょう。そしてそれを相手に見せます。たとえば、「あなたって本当に働き者ね。いつも感謝してるわ。ねえ、今週の木曜日にメアリーとボブを夕食に招待してるけど、その前に庭の芝生を刈ってくれると嬉しいわ」という言い回しに直すのです。そして、そのようにリクエストされればやる気が出てくることを説明します。試してみてください。

7　洗車、料理、寝室のペンキ塗り、庭掃除など、何か大がかりなサービス行為をやってみましょう。そして終わったら、そこに「○○○（あなたの名前）より○○○（配偶者の名前）に愛を込めて」と書いたカードを添えておきましょう。

8　時間よりもお金に余裕があるという人は、芝生刈り、家の掃除、洗車、洗濯など、あなたの結婚相手がしてほしいと願っているサービス行為をやってくれる人を雇ってみましょう。たとえあなたはそこにいなくても、それらの作業を終わらせることにしっかりと責任を持って気を配れば、それは愛を語ることになります。

9　日常のことで、「やってもらえたら愛が伝わる」ことは何かを配偶者に尋ねてみましょう。汚れた洋服を洗濯かごに入れる、洗面台に落ちた髪の毛を取り除く、脱いだ洋服をハンガーにかける、外出する時にドアをきちんと閉める、食事の準備をする、皿を洗うなど、日常の生活の中から選んでもらいます。それをあなたの日課にする努力をしてください。「些細な事」がとても大切なのです。

10　「今週、私があなたのために何か特別サービスをしたいと思ったとしたら、何をしてほしい？」と時々尋ねてみましょう。それを実行して、相手のラブタンクが満たされていくのを見ることで、あなたも喜びを感じることでしょう。

第8章　第五の愛の言語——「身体的なタッチ」

誰もが知っていることですが、感情的な愛は体に触れることによっても伝えることができます。腕に抱えられ、抱きしめられ、頬ずりやキスをされて育つ赤ちゃんは、肌の触れ合いのないままで長い期間放っておかれた赤ちゃんよりも、健全に感情を発達させていきます。このことは、幼児の発育に関する研究分野で行なわれた数多くの調査によって証明されています。

子どもに触れることが大切だという考えは、決して近代になって出てきた思考ではありません。紀元一世紀のパレスチナに住んでいたヘブライ人たちは、イエス・キリストを偉大な教師と尊敬し、「彼に触っていただこうとして」、子どもたちをイエスのみもとに連れていきました（マルコ一〇・一三参照）。弟子たちは、そんな取るに足らないことに時間を費やす暇などイエスにはないと考え、親たちを叱りつけました。しかしイエスは、その弟子たちに憤ったのです。「『子どもたちを、わたしのところに来させなさい。止めてはいけません。神の国は、このような者たちのものです。まことに、あなたがたに告げます。子どものように神の国を受け入れる者でなければ、決してそこに、入ることはできません。』そしてイエスは子どもたちを抱き、彼らの上に手を置いて祝福された」（マルコ一〇・一四―一六）と聖書に書かれています。どのような文化においても、賢明な親は子どもに触れながら育てるのです。

身体的なタッチは、夫婦間で愛を伝える効果的な伝達手段でもあります。手をつなぐ、キス、抱擁、性交などはすべて、配偶者に感情的な愛を伝えてくれます。そして中には、身体的なタッチを愛の一次言語として持つ人々がいるのです。彼らは、体に触れられないと「愛されていない」と感じます。そして、触れられることによって感情のタンクが満たされ、配偶者の愛を確認することができ、安心するのです。

昔の人はよく、「男心を捕らえるには胃袋から」と言いました。これを実行した女性たちに多くの男性は肥やされ、心に「とどめを刺された」わけです。しかし実際には、「胃袋から捕らえられる男心も中にはある」と言ったほうが正確でしょう。というのも、こんな男性もいるからです。「チャップマン先生、僕の妻はまるでグルメの料理人です。キッチンで何時間もかけて食事の準備をして、それはそれは凝った料理を作るんです。僕はどちらかというと、定番の基本食好みの男なんです。だから妻にいつも言うんですよ、時間の無駄だって。僕が『シンプルな食べ物のほうが好きだ』と言うと、妻は『傷ついた。ありがたく思われてない』って責めるんです。彼女の努力はありがたいと思っています。でも手の込んだ料理に長時間かけて苦労するより、もっと気楽にやってほしいんです。そうすれば、二人で一緒に過ごせる時間ももっと増えるし、ほかのことをするエネルギーも出てくると思うんです」

この男性の男心を捕らえる手段が、手間ひまかけた料理でないことは明確です。彼の言う「ほかのこと」のほうが、食べ物よりもずっと効果的であることがすぐにわかります。

この男性の妻は、大きな不満を抱えていました。彼女の育った家では、母親がすばらしく料理の上手な人で、父親はその妻の努力を認めて、いつも感謝していました。「君への愛が込み上げてくるのは、こんなすばらしい食卓につく時だ」と母親を称賛する父親の言葉を、この女性はずっと覚えていたのです。彼女の父親の口からは、妻の用意する食事をほめそやす言葉が、いつも泉のように湧き出ていました。二人きりの時にも、大勢の人の前でも、父親は母親の料理の腕をほめました。彼女は、母親のお手本のとおりにしたわけです。ところが問題は、彼女の結婚相手が彼女の父親ではなかったことです。彼女の夫は、父親とはまったく違った愛の言語を持つ人だったのです。

私は、彼女の夫であるこの男性との会話の中で、彼の言う「ほかのこと」がセックスのことだとすぐに気づきました。妻が性的に敏感な反応を示してくれる時は、彼は妻の愛に安心感を持ちました。しかしなにがしかの理由で彼女が性的なことから距離を置くと、料理の腕をどんなに発揮されても、彼は妻の愛に確信を持てなかったのです。

この男性は、凝った料理が不服なのではありません。ただ彼の心の中では、そういった料理は彼の考える「愛」の代わりには決してならないということなのです。

セックスは、身体的なタッチという愛の言語の方言の一つでしかありません。五感の中でも触覚は、他の四つと違って、体のある特定の部分に限られていません。小さな触覚受容器は、体中に散らばっています。それらの触覚受容器が触れられたり押されたりすると、神経がその刺激を脳へ運びます。脳はそれらの刺激を解釈し、それによって私たちは、触れたものが温かいか冷たいか、固いかやわらかいか、痛みを与えるものか快感を与えるものかを知覚するのです。そして、それによって愛情のあるものか敵意のあるものかをも判断することができます。

人間の体には、敏感な器官と鈍感な器官とがあります。それは、体中にある小さな触覚受容器が、体全体に均等に散らばっているのではなく、あちらこちらにまとまって配置されているからです。たとえば、舌の先はとても敏感ですが、肩の後ろは一番鈍感です。指の先や鼻の先もまた、極めて敏感です。しかしこの章の目的は、触感に関する神経学的な基礎知識を得ることではありません。むしろ、その心理学的な重要性を理解することにあるのです。

私たちは、身体的なタッチによって、関係を築くことも壊すこともできます。憎しみを伝えることも愛を伝えることもできるのです。身体的なタッチを愛の一次言語に持つ人にとっては、「大嫌い」または「愛してる」という言葉を使うよりも遥かにパワーを持ったメッセージが、「タッチ」によって伝わるのです。

頬を殴られることは、どんな子どもの心にも傷を負わせます。しかしタッチを愛の一次言語に持つ子どもにとっては決定的な打撃です。優しい抱擁は、どの子どもにも愛を伝えます。しかし身体的なタッチを愛の一次言語に持つ子どもには、大声で「愛してるよ」と叫ぶのと同じくらい大きな愛を伝えることができるのです。そしてこれは、大人にとっても同じことなのです。

結婚生活における愛のタッチは、いろいろな形を取ることができます。触覚受容器は体中に散らばっていますので、愛情を持って触れさえすれば、配偶者のどこをタッチしても愛の表現となります。とはいっても、すべてのタッチが等しく喜ばれるわけではありません。触れられて嬉しいタッチもあれば、それほど嬉しくないタッチもあります。それを教えてくれる最適なインストラクターは、もちろん、あなたの夫や妻です。結局、あなたが愛そうとしている人は、あなたの結婚相手なのですから。どんなタッチに愛を感じるかを一番よく知っているのも、あなたの配偶者本人です。自分のやり方、タイミングで相手に触れることを主張してはいけません。相手の愛の方言を語るにはどうしたらいいかを学んでください。

中には、相手が不快感や苛立ちを覚えるタッチもあります。意地を張ってそのようなタッチをし続けると、愛とは正反対のことを伝えることになります。夫・妻が何を必要としているかに無関心で、何が相手に喜びを感じさせるかにまったく無頓着、というメッセージになってしまうのです。自分に喜びをもたらすタッチが相手にも心地いいはずだ、と決めてかかってはいけません。

愛のタッチには、背中のマッサージや性交の前戯などのように、明確で、集中力を必要とするものがあります。その一方で、コーヒーを注ぎながらそっと相手の肩に手を置いたり、部屋や廊下ですれちがう時に体を密着させたりと、さりげなく瞬時の動作しか必要としないものもあります。

時間がかかるのは、明確な愛のタッチです。実際の動作に時間がかかるだけでなく、この方法で相手に愛を伝える技術を身につけるのにも時間がかかるのです。配偶者に愛が一番大きく伝わるタッチが背中のマッサージなら、マッサージの腕を磨くために時間やお金やエネルギーを費やすことも賢い愛の投資です。もし相手の主要な方言がセックスなら、性行為のテクニックについて本を読んだり話し合ったりすることで、愛の表現を高めることもできます。

さりげない愛のタッチは、時間はかかりませんが工夫が必要です。自分の愛の一次言語が身体的なタッチではない人、スキンシップが少ない家庭で育った人の場合は特にそうでしょう。ソファに座ってお気に入りのテレビ番組を見る時、配偶者のそばに寄り添うように座るだけで、わざわざ時間を作らなくても、相手に愛を伝えることができます。部屋を横切る時に、そこに座っている夫・妻にそっと触れて通り過ぎるのは、一瞬の動作です。出かける時や家に帰った時に軽いキスや抱擁でお互いの体に触れ合うことも瞬時の行為ですが、相手にとってははっきりとした愛の表現なのです。

配偶者の愛の一次言語が身体的なタッチだと確信できたら、それによって相手に愛を伝える表現方法は思いつく限りあります。それまでスキンシップをしたことのないような場所、新しい触れ方などを考えるのも楽しいチャレンジでしょう。テーブルの下でこっそりと夫や妻に触れたことのない人は、それも試してみるといいでしょう。外食も刺激的でエキサイティングな時になるはずです。公の場で手をつなぐことに慣れていない人は、駐車場を歩く時などに配偶者の手を取ってみてください。あなたは車にたどり着く前に相手の感情的なラブタンクを満たすことができるかもしれません。夫や妻と一緒に車で出かける時には、まず軽くキスしてから車に乗り込むことを習慣にしましょう。ドライブの旅も楽しく愉快なものになることでしょう。妻が買い物に出かける時には、玄関で彼女を抱きしめて愛を伝えてください。買い物を早く切り上げて家に帰ってくるかもしれませんよ。新しい場所で、新しい触れ方で、タッチすることを試みてください。そしてそれが心地よいことかどうか、相手の意見を尋ねましょう。最終的に決めるのはあなたの配偶者だ、ということを忘れないでください。あなたは、相手の言語が話せるように、と学んでいるのですから。

体は触れるためのもの

「私」の中にあるものが何であれ、それは私の体の中に存在します。私の体に触れることは、私に触れることであり、私の体から身を引くことは、私から感情的に遠ざかることなのです。私たちの社会では、心を開いていることや社交的な親近感を伝える一つの方法として握手をします。ですから、ある人が相手の握手を拒むなら、その人は関係がうまくいっていないということを伝えているのです。

どんな社会にも、身体的なタッチを用いた何らかの挨拶方法が存在します。普通のアメリカ人男性なら、ヨーロッパ人のきつい抱擁やキスの挨拶を心地よいとは思わないでしょう。しかしヨーロッパでは、それが握手と同じ役目を果たすのです。

どの社会においても、異性に対する触れ方には、適当なものと不適当なものがあります。最近問題になっているセクシャル・ハラスメント問題は、その不適当な触れ方に焦点を当てることとなりました。しかし夫婦関係においては、本人たちが常識の範囲内で、何が適当で何が不適当なタッチかを決めるのです。もちろん身体的虐待は、社会的に不適当と見なされます。虐待された妻や夫を助ける社会的組織団体なども設けられています。私たちの体は触れるためのものではあっても、虐待するものでないことは言うまでもありません。

現代は、性的に開放的で自由な時代と見なされています。しかしその「自由」に伴って証明されたことは、配偶者が自由に他人と性的な親密関係を持てるオープンな結婚や夫婦関係があるという考えは空想にすぎない、ということです。たとえ道徳的な理由でそれに異議を唱えない人でも、結局は感情的な理由で反対します。私たちの持っている親密感と愛への欲求の何かが、配偶者にそういった自由を与えることを許さないのです。自分の夫や妻がほかの誰かと性的関係を持っていると気づいた時、その感情的な痛みは非常に深いものとなり、夫婦間の親密さは、消え去ります。カウンセラーのオフィスは、配偶者の浮気によって受けたトラウマを克服しようと取り組む夫や妻からの相談で溢れています。

身体的なタッチを愛の一次言語に持つ人々にとっては、そのトラウマは一層ひどいものになります。その人が一番切実に求めるもの、すなわち体に触れることでの愛の表現が、他人に与えられてしまったからです。その人の感情的なラブタンクは、空っぽどころか爆発して穴だらけでボロボロになってしまいます。この人の感情的必要が満たされるためには、かなり大規模な修理・回復が必要になります。

危機と身体的なタッチ

危機的な状況に陥った時、私たちはほとんど本能的に抱き合ったり手を握り合ったりします。それは、身体的なタッチがパワフルな愛の伝達媒体だからです。危機に直面した時、他の何よりも愛されていることを感じる必要があるのです。出来事や状況は変えられないこともあります。しかし「愛されている」と感じるなら、それを切り抜けることができるのです。

結婚生活を送る中で、すべての夫婦は危機を通過します。たとえば、親の死は避けられないことです。毎年、交通事故で何千人という人が体を不自由にしたり、命を落としたりします。誰でも病気になる可能性があります。人生には失望が付き物なのです。

危機の際にあなたが夫や妻のためにできる最も大切なことは、彼（彼女）を愛してあげることです。妻の一次言語が身体的なタッチなら、泣いている彼女を抱きしめてあげることほど大切なことはありません。たとえ口に出す言葉が大きな意味を持たなくても、あなたの身体的なタッチが相手に愛を伝えてくれます。危機は、特別な形で愛を表現する機会を与えてくれるのです。夫や妻は、あなたに優しく触れられたことを、その危機が過ぎ去った後々までずっと忘れないでしょう。また、その時あなたが触れてあげなかったなら、そのこともきっと忘れないはずです。

私は、何年も前にフロリダ州のウェスト・パーム・ビーチを初めて訪れて以来、そのあたりで結婚セミナーを開くようにと招かれるのを楽しみにするようになりました。そうして招かれたある時、ピートとパッツィというカップルに出会いました。彼らはもともとフロリダ生まれではありませんでしたが（フロリダ住民のほとんどが現地出身ではありませんが）、ウェスト・パーム・ビーチに住んで二十年になるという夫婦でした。

私は、ある地方教会の主催で結婚セミナーを行なうことになっていました。空港に迎えに来てくれた牧師は、ピートとパッツィがその晩、私に泊まってほしいと願い出たことを教えてくれました。私は嬉しそうなふりをしましたが、経験から言ってそういった申し出はたいてい、深夜におよぶカウンセリング・セッションに終わるとわかっていました。ところがその夜、いくつかのことに驚かされることになったのです。

その牧師に連れられて、スペイン風に美しく飾られた広々とした家に入り、そこでパッツィと猫のチャーリーに紹介されました。家の中を一見した私は、（ピートの事業がかなり成功しているか、父親から多額の遺産を受け取ったか、そうでなければ、かなりの借金を抱えているかのいずれかだろう）と思いました。後になって、最初の直感が当たっていたことがわかりました。私の泊まる部屋に案内されると、ベッドの上には猫のチャーリーが体を伸ばしてくつろいでいました。ずいぶんいい生活をしている猫のようです。

しばらくしてピートが帰宅しました。夕食はセミナーのあとにすることにして、皆で楽しく軽食を取りました。それから数時間後、セミナーも終わって夕食を取りながら、私は、いつカウンセリングが始まるのかと待ち構えていました。ところが、とうとう最後までそうはならなかったのです。逆に、ピートとパッツィが健康的で幸せな結婚生活を送っている夫婦であることがわかっただけでした。カウンセラーにとって、そういう夫婦に出会うのは稀です。彼らの幸福な結婚生活の秘訣を突き止めたいと思いましたが、大変疲れていました。翌日二人に空港まで送ってもらうことになっていたので、もっと集中して話を聞けるその時まで、詮索はお預けにすることにしました。

就寝しようと客室に入ると、猫のチャーリーは親切にも私のベッドから飛び降りて、出て行ってくれました。私は、ベッドに入ってしばらく一日を振り返ったあと、ゆっくりと眠りに落ちていきました。ところが、まどろみ始めたその時、突然、私の部屋のドアがぽんと開き、得体の知れない怪物が私の上に飛び乗ってきたのです！　フロリダにさそりが出るという話は聞いていましたが、これはさそりなどという小さな生き物ではありません。よく考える暇もなく、私は体の上にかけていたシーツをつかみ、恐ろしい悲鳴をあげながら、その怪物を向かい側の壁に叩きつけました。怪物の体が壁を打つ音がすると、あとには静けさが部屋中に漂いました。ピートとパッツィが廊下を走って駆けつけ、部屋の電気をつけました。すると、壁の下にチャーリーが横たわっていたのです。

この出来事で、私はピートとパッツィにとって忘れられない存在となりました。私も彼らのことは忘れません。チャーリーはその数分後に意識を回復しましたが、その後、私の部屋に戻ってはきませんでした。それどころか、ピートとパッツィの話によると、あの部屋にはそれ以来二度と入ろうとしなかったそうです。

私はそのようにチャーリーを虐待したわけですから、ピートとパッツィがそれでも空港に送ってくれるだろうか、私との会話にまだ興味を持っていてくれるだろうかと、少々不安になりました。しかし翌日、セミナーのあとでピートの次の言葉を聞いて、そんな不安も吹き飛んでしまいました。「チャップマン先生、僕はいくつものセミナーに参加しましたが、先生のように見事に私たち夫婦の姿を言い表した人は初めてですよ。愛の言語という先生の考えは、本当にそのとおりです。先生に僕らの話を早く聞いてほしいです！」

セミナー参加者に別れを告げ、私たちは車に乗り込んで、空港まで四十五分の道のりを走り出しました。その途中にピートとパッツィが語ってくれた物語は、次のようなものでした。結婚して二十二年の二人は、友人たちからも「パーフェクト・カップル」と呼ばれていて、本人たちも自分たちの結婚は「神の思し召し」だと確信しています。ところがそんな彼らも、結婚当初は大変困難な道のりを歩いていたのです。

二人は、同じ地域に育ち、同じ教会に通い、同じ高校を卒業しました。彼らの両親たちも、似通ったライフスタイルと価値観を持っていました。彼らの関心事や楽しみも共通のものが多く、どちらともテニスとボート遊びが好きでした。二人はよく、共通点がたくさんあることを話題にしました。これだけの共通項があれば、結婚生活の中で起きる摩擦も、最小限ですむように思えたのです。

そんな二人は、高校三年生の時に交際を始めました。別々の大学へ進学したものの、少なくとも月に一回、時にはそれより頻繁に会っていました。そして大学一年生の終わりには、「お似合いの夫婦になれる」と思うようになったのです。大学を卒業したら結婚する約束をし、それからの三年間、ほのぼのとした交際をエンジョイしました。

最初の週末にピートがパッツィのキャンパスを訪ねると、次の週末にはパッツィがピートのキャンパスを訪ねました。第三の週末にはそれぞれ両親宅に帰りましたが、ほとんど二人で週末を過ごしました。第四の週末は会わないことに決め、お互いが自分自身の趣味や関心事に費やす自由な時間を確保しました。誕生日などの特別な場合を除いては、これがピートとパッツィのお決まりのスケジュールだったのです。

やがて、ピートはビジネス、パッツィは社会学専攻で大学を卒業し、その三週間後に二人はめでたく結婚しました。その二か月後、ピートによい仕事の話があり、二人はフロリダへと引っ越しました。一番近所の親族から二千マイルも離れた場所へと引越したピートとパッツィは、永遠にハネムーンを楽しめるかのように思っていました。

最初の三か月は、興奮と喜びでいっぱいでした。引っ越して新しいアパートを見つけ、二人一緒の生活を楽しみました。当時の唯一の衝突は、皿の洗い方についてでした。ピートは、自分のやり方のほうが能率的だと言いましたが、パッツィは彼のアイディアに耳を貸しません。結局、皿を洗う人が自分のやり方で洗ってよいということで合意に達し、その問題は解決しました。

そんな結婚生活も半年が過ぎた頃、パッツィはピートがだんだん遠ざかっていくのを感じ始めました。仕事場にいる時間が長くなり、帰宅してからもコンピューターの前でかなりの時間を過ごします。ついにはピートが自分を避けていると感じるようになったパッツィが彼にそう言うと、ピートは「避けているんじゃなくて、仕事をきちんとやり遂げようとしているだけだ」と言いました。そして、自分がどんなプレッシャーの下にいるのか、就職して最初の年にいい仕事をすることがどんなに大切か、パッツィにはわからないのだと責めたのです。パッツィは、ピートの返事に満足できませんでしたが、彼に必要な距離を与えようと心に決めました。

パッツィは、同じアパートに住む主婦たちと仲よくなり、近所づきあいをするようになりました。ピートの帰りが遅いとわかっている時は、仕事からまっすぐ家に帰らずに、友人たちの一人と買い物へ出かけることもありました。時には、ピートの帰宅時に彼女が家にいないこともありました。そのことが非常にピートの気にさわり、彼はパッツィのことを「思いやりがない。責任感がない」と責めました。パッツィは言い返しました。「自分のことは棚に上げて何言ってるの？　お互い様じゃないの。無責任であてにならないのはどっちよ？　電話して、いつ家に帰るか知らせてもくれないじゃない。いつ帰ってくるのかわからないのに、どうやって帰宅時にここにいろって言うのよ。それに家に帰っても、いつもコンピューターの前にいるじゃない。あなたには妻なんて必要ないのよ。コンピューターさえあればいいのよ！」

ピートはこれに対して、「僕には妻が必要なんだ。わからないのか。それが問題なんだ。僕には妻が必要なんだよ！」と大声を張り上げたのです。

ところがパッツィは、本当にわからなかったのです。彼女は非常に困惑しました。答えを探そうと公立図書館へ行き、結婚についての本を何冊か借りてみました。（結婚とは、こんなものではないはず。この現状を何とかしなくては……）と思ったのです。

ピートがコンピューターの部屋へ行くと、パッツィは本を手に取りました。実際、真夜中まで読み続けることもしばしばでした。寝室に行く途中で本を読んでいる彼女に気がつくと、ピートは「大学時代にそれほど熱心に読んでいたらオールAの成績を取れたんじゃないか」などと皮肉を込めた言葉を口にしました。パッツィは、「私は学生生活じゃなくて、結婚生活をしているの。今のままじゃCが取れたらいいとこだわ」と答えました。そう返事をしたパッツィを振り返ることもなく、ピートはその場を立ち去るのでした。

パッツィは、結婚生活一年目が終わる頃には、わらをもつかむ思いになっていました。それ以前にもカウンセリングのことを口にしたことはありましたが、今や危機的な状況です。パッツィは、今回は落ち着いた口調で真剣に、「結婚カウンセラーを探そうと思うの。一緒に行く気がある？」とピートに尋ねました。しかし、ピートは「僕は結婚カウンセラーなんか必要じゃない。結婚カウンセラーなんかに会う暇もなければ、かけるお金もない」とはねつけました。

「だったら、私ひとりで行くわ」とパッツィは答えました。

「ああ、行けばいいさ。どうせカウンセリングが必要なのは君のほうなんだから」

こうして二人の会話はあっけなく終わりました。パッツィは心底孤独を感じましたが、次の週には結婚カウンセラーに予約を入れました。そのカウンセラーは、三度のセッションを終えたところで、ピートに電話をしました。二人の結婚生活について、彼の側の見解を聞きたいので会いに来る気はないか、と尋ねたのです。ピートはカウンセラーに会うことを承知し、そこから癒しのプロセスが始まりました。そして六か月後、二人はそのカウンセラーのオフィスを去り、結婚の歩みを新しく始めることになったのです。

私はピートとパッツィに尋ねました。「そのカウンセリングで、夫婦生活に転機をもたらす何を学んだの？」

「一言で言えば、お互いの愛の言語を話すことを学んだわけです」とピートが答えました。「もちろん、そのカウンセラーはそういう言い方はしませんでしたけど、今日のセミナーで先生の話を聞きながら、『そうだったのか』と改めて納得したんです。話を聞きながら、すぐにカウンセリングでの経験を思い出しました。要するに、先生がおっしゃったのと同じことが僕らに起こったわけです。やっとお互いの愛の言語を話し始めたわけです」

「それで君の愛の言語は何？」と私はピートに尋ねました。ピートは躊躇なく、「身体的なタッチです」と答えました。「間違いなく身体的なタッチね」とパッツィもあいづちを打ちました。

「パッツィ、君のは？」

「私はクオリティ・タイムです。だから、ピートが仕事やコンピューターだけに時間を費やしていたあの頃を、私は泣いて過ごしたんです」

「ピートの愛の言語が身体的タッチだって、どうやってわかったの？」

「時間がかかりました。でも、カウンセリングでそのことが少しずつ表に出てきたんです。最初は彼自身も気づいていなかったと思います」とパッツィは答えました。

「パッツィの言うとおりです。僕は自己評価が低くて、自分に自信がなかったんです。だから、彼女との距離を置くようになった原因が、彼女のタッチが足りないからだと見極めるまでに、ずいぶん時間がかかりました。そのことを認めることができるようになるまで、時間がかかったんです。心の中では彼女が手を伸ばして触れてくれることを切に願っていました。でも口に出して『触れてほしい』と彼女に願ったことは一度もありませんでした。

　交際中は、いつも僕のほうから抱きしめたり、キスしたり、手を握ったりしていました。彼女はいつもそれにすぐ反応してくれたので、彼女は僕のことを愛していると感じたんです。でも結婚したあと、彼女に触れても、反応してくれないことがあったんです。多分、新しい仕事のプレッシャーなんかで、彼女も疲れていたのでしょう。理由はわかりませんが、とにかく僕はそれを拒絶と受け止めたんです。僕に魅力を感じなくなったのだ、と思いました。それで拒絶されるのが嫌だったので、僕のほうから率先して触れることはやめようと決めたんです。彼女のほうからキスすることや、体に触れることや、セックスを促してくるまで、どのくらいの時間がかかるか待ってみることにしました。一度なんか、彼女のほうから僕に触れてくるまで、まるまる六週間も待ったことがありました。僕はそれに耐えられなくなったんです。彼女から距離を置き始めたのも、一緒にいる時に感じるその痛みから逃げ出したかったからなんです。求められていない、愛されていない、拒絶されている、と感じていたからです」

そこでパッツィが口を開きました。「私のほうは、そんなことを思っているなんて、想像もしていませんでした。私に触れてこなくなったことには気づいていました。新婚の時はしょっちゅうキスしたり抱き合ったりしていたけど、少し落ちついてきたら、それも彼にとってそれほど大事なことではなくなったんだろうと思ったんです。彼が仕事のプレッシャーを感じていることも知っていました。だから、私のほうから積極的に触れてきてほしいと願っているなんて、思いもしなかったんです。

本当にピートの言うとおり、私は彼に触れることなく何週間も過ごすことがありました。そんなこと、気にもかけていなかったから。私は、食事の用意をして、家をきれいにして、洗濯をして、彼の邪魔にならないようにしようと心がけていました。正直言って、それ以上の何をしたらいいのか、わからなかったんです。彼の冷たい態度も、私に注意を向けなくなったことも、なぜなのかまったく理解できなかったんです。

タッチが嫌いなわけじゃないんです。ただそれを、重要だと思ったことがなかったんです。私が『愛されている』とか『大切に思われている』と感じるのは、彼が一緒に時間を過ごしてくれる時、私に注意を注いでくれる時でした。抱き合ったりキスしたりは、それほど大切ではなかったんです。私に注意を注いでくれさえすれば、愛されていると感じたんです。

とにかく、問題の根本が何なのかがわかるまでに時間がかかりました。でもいったん、お互いが感情的愛の必要を満たしていなかったのだとわかったら、すべてが変わっていきました。私から積極的に身体的なタッチをし始めたら、驚いたことに、彼の雰囲気から性格までが急激に変化したんです。まるで新しい夫を手に入れたような気分でした。本当に愛されていることを確信するようになったら、彼も私の必要に敏感になってくれました」

「家にはまだコンピューターが置いてあるの？」と私は尋ねました。

「はい。でもほとんど使っていません。使う時があっても、私はもう平気です。彼はコンピューターと結婚してるわけじゃないってわかってるので。それに、いろいろなことを二人で一緒にするので、彼がコンピューターを使いたい時には、不安になることなく『どうぞ』って言えるんです」とパッツィは答えました。

ピートは、「今日のセミナーで驚いたのは、愛の言語に関する先生のお話が、何年も前のその体験を思い出させてくれたことです。僕らが六か月もかかって学んだことを、先生は二十分で話してくださいました」と言いました。

「どんなに素早く学ぶかが大切なんじゃないよ。どんなにしっかりと学べるかが大切なんだよ。私にはっきりとわかることは、君たちがしっかりとよく学べたということだ」と、私は答えました。

ピートのように身体的なタッチを愛の一次言語に持つ人は、大勢います。彼らは、配偶者が手を伸ばして体に触ってくれることを切望しています。髪の毛に指を通したり、背中をさすってあげたり、手をつないだり、抱きしめたり、セックスしたり、その他のあらゆる「愛のタッチ」が、彼らにとっては欠かせない感情的ライフラインなのです。

あなたの結婚相手の愛の言語が「身体的なタッチ」なら

1　車を降りてお店まで歩く時などに、手をつなぎましょう（もちろん、小学生以下の子どもを三人連れている場合は無理ですが）。

2　一緒に食事をする時、膝や足を動かして相手に触れてみましょう。テーブルの下にいる犬や猫を間違えて触っていないか、きちんと確かめてください。

3　夫・妻に歩み寄って、「最近、『愛してる』って言ったっけ？」と言って、腕を回して抱きしめてあげてください。「大好き！」と言いながら肩や背中を軽くさすってあげましょう。そうしてさらりと腕を離して、その前にやっていたことに戻るなり、次にやらなければならないことに進むなりしてください。

4　夫・妻が座っている時に、歩み寄って肩をマッサージしてあげてください。相手がやめてくれと言わない限り、五分ほどマッサージを続けましょう。

5　教会で夫・妻と一緒に座る人は、牧師が「祈りましょう」と言った時に、そっと手を伸ばして配偶者の手を握って一緒に祈ってください。

6　セックスの前に、まず相手の足をマッサージすることから始めてみましょう。相手が心地よいと思うようなら、そこから体の他の箇所へとマッサージを続けていきましょう。

7　お風呂の水を入れながら、配偶者に「一緒に入ろう」と誘ってみましょう。

8　一緒に車でどこかへ移動中、隣に座っている夫・妻に手を伸ばして、相手の足、おなか、腕、手に触れてみましょう。「やめて」と言われたら、もちろんすぐにやめてください。

9　知人・友人などが訪ねてきている時に、彼らの前で、軽く夫・妻の腕に手を置いたり、立ち話をしている時に肩に手をまわしたりすることもいいでしょう。たくさんの人の中でも、「あなたがここにいることを意識している」というメッセージを相手に送ることになります。

10　夫・妻が帰宅した時、普段より一歩早めに出迎えて、抱きついたり軽いキスをしたりするのもいいでしょう。普段は台所や居間で出迎える人は、玄関まで行って出迎えてみてください。

第9章　あなたの愛の一次言語を発見しよう

配偶者の感情的なラブタンクをいっぱいに満たし続けるためには、相手の愛の一次言語を知ることが不可欠です。しかし、あなた自身が自分の愛の言語が何かを知っているかどうか、まず確かめてみましょう。これまでに説明してきた五つの愛の言語は次のとおりです。

肯定的な言葉
クオリティ・タイム
贈り物
サービス行為
身体的なタッチ

自分の愛の一次言語と配偶者の一次言語がすぐにわかる人もいます。しかし、そう簡単にはわからないという人もいます。オハイオ州のパーマ・ハイツに住むボブはこう言いました。「いやー、わかりません。このうちの二つが同じぐらい当てはまるような気がするんですが」

「どの二つ?」と私は尋ねました。

「『身体的なタッチ』と『肯定的な言葉』です」とボブは答えました。

「なぜ『身体的なタッチ』だと思うの?」

「まあ、おもにセックスのことを思って」とボブは言いました。

私は、もう少し突き詰めて質問しました。「セックスをしていない時に、キャロルが髪の毛に指を通したり、背中をさすったり、手をつないだり、キスしたり、抱きついたりするのは好き?」

「それもいいですけど、もちろん拒みませんけど、肝心なのはセックスです。セックスする時にキャロルが僕のことを愛してくれると、一番わかります」とボブは答えました。

今度は身体的なタッチの話題から少しそれて、肯定的な言葉について質問してみました。「『肯定的な言葉』も大切だということだけど、どういう言葉が一番助けになる?」

「ポジティブな言葉なら、ほとんど何だって嬉しいです。頭が切れるとか、働き者だとか、かっこいいとかキャロルが言ってくれると嬉しいです。それに、家の周りのことを何かした時に感謝してくれたり、子どもたちのために時間を作ったと言って、そのことを認める言葉をかけてくれたりすると、すごく嬉しいです。それから『愛してる』って言ってくれる時も。そういった言葉全部が、僕にとっては力になります」とボブは答えました。

「小さい頃にも、両親からそういう優しい言葉をかけてもらった?」

「いえ、あんまり。両親から言われたのは、ほとんどが批判的な言葉か、何かを要求するような言葉でした。もしかしたら、最初にキャロルに惹かれたのは、そのせいかもしれません。彼女は僕を認めてほめてくれるんです」

「もう一つ質問しますよ。もしキャロルが君の性的な欲求を満たしてくれたとして、つまり質のあるセックスを君が望むだけできたとして、それで彼女が否定的な言葉を言い始めたとしたら、どう思うかな? 彼女が非難の言葉を発して、人前で君を蔑むようなことを言ったりしたら、それでもまだ彼女に『愛されてる』と感じると思う?」

「思いません。裏切られたと思って相当傷つきます。かなり落ち込むでしょうね」というのがボブの答えでした。

「ボブ、君は今、自分の愛の一次言語が『肯定的な言葉』だと発見したんですよ。もちろんセックスは大切で、キャロルとの親密感を与えてくれるものだけど、彼女の言葉のほうがずっと重要みたいだ。実際、もし彼女が君のことをいつも言葉で非難して、人前でけなし続けたら、彼女とのセックスを求める思いも消えていくと思うよ。彼女は苦痛を与える存在になってしまうと思う」

夫である多くの男性が、ボブと同じ勘違いをします。彼らは、セックスに対する強い欲求を感じることから、自分の愛の一次言語が「身体的なタッチ」だと思い込んでしまうのです。男性にとって性的欲求は、基本的には身体的な現象です。言い換えれば、性交への欲求は、精嚢の中に精細胞と精液が蓄積されたことで刺激を受けて生じるものなのです。精嚢がいっぱいになると、放出するように生理的に駆り立てられます。従って、男性の性交への欲求の根本は、身体的なものです。

一方、女性の性的欲求の根源は、生理的ではなく感情的なものです。体内に蓄積して性交に駆り立てるようなものは、何もありません。女性の性欲は、感情をベースにしているのです。妻は、夫から「愛されている」、「かわいいと思われている」、「感謝されている」と感じた時、彼との肉体的な親密関係を求めます。しかし、そのような感情的な親密感がなければ、肉体的な欲求を感じることはほとんどありません。

男性は、性的に放出することをある程度定期的に駆り立てられるので、何も疑わずにそれが自分の愛の一次言語だと推測してしまいます。しかし、もしセックスの時以外、あるいは性的でない形の身体的なタッチをさほど嬉しいと思わないのなら、その男性の愛の一次言語は「身体的なタッチ」ではないでしょう。性欲は、「愛されている」と感じる感情的な欲求とはかなり異なるものです。セックスが彼にとって大切でないと言っているのではありません。非常に大切なのです。しかしセックスだけでは、「愛されていることを感じたい」という必要は満たされないのです。妻である女性は、夫の感情的な愛の言語をやはり語らなければならないのです。

実際には、この男性の妻が彼の愛の一次言語を話して彼のラブタンクをいっぱいに満たし、彼も妻の愛の一次言語を語って彼女のラブタンクを満たす時、この夫婦の性的な面は、放っておいても自然にうまくいくはずです。夫婦間の性的な問題は、テクニックなどはほとんど関係なく、お互いの感情的欲求を満たすことに大きく関係しているのです。

ボブとの会話をさらに続けると、よく考えたあとで彼はこう言いました。「そうですね、先生の言うように『肯定的な言葉』が確実に僕の愛の一次言語です。過去に妻がとげとげしい言葉や非難の言葉を口にした時、僕は彼女から性的に身を引いて、ほかの女性のことを夢想したりしました。でも、どんなに僕を思ってくれているか、感謝してくれているかなど口にすると、僕の性的欲求も自然に妻のほうに向くんです」

このように、この日ボブは、短い会話の中で大きな発見をしました。

あなたの愛の一次言語は何でしょう？　「愛されている」と最も感じさせてくれることは何でしょう？　配偶者に何よりも求めているのは何でしょう？　これらの質問の答えがすぐに頭に浮かんでこない人は、愛の言語が否定的に用いられる場合を考えてみましょう。つまり、夫・妻がすることや言うこと、またはしてくれないことで、あなたが深く傷つくことは何でしょう？　たとえば、もし一番心が傷つくことが、配偶者の批判やさばきの言葉だとしたら、あなたの愛の言語は「肯定的な言葉」でしょう。あなたの愛の一次言語が配偶者によって否定的に用いられる時、すなわち相手があなたの願うことと反対のことをする時、あなたは深く傷ついてしまいます。他の人が同じことをされて傷つくのより遥かに深く傷ついてしまうのです。それは、相手があなたの愛の一次言語を語ってくれないだけではなく、反対に、その言語をナイフにしてあなたの心を刺し通すからです。

私は今、カナダのオンタリオ州キッチナーに住むメアリーのことを思い出しています。彼女は、「チャップマン先生、一番つらいのは、ロンが家の周りのことを一つも手伝ってくれないことです。私がひとりで全部やっている間、彼はテレビを見てるんです。本当に私を愛しているなら、そうはしてられないと思うんです」と言いました。メアリーの一番の深い傷、つまり夫のロンがまったく家のことに手を貸してくれないことが、彼女の愛の一次言語（サービス行為）を見つける大きな手がかりとなりました。夫がどんな時にもめったにプレゼントをくれないのがあなたの深い悲しみなら、あなたの愛の一次言語は「贈り物」でしょう。「妻が稀にしか充実した時間を一緒に過ごしてくれない」と深い痛みを感じているなら、あなたの愛の一次言語はクオリティ・タイムでしょう。

愛の一次言語を発見するためのもう一つの方法は、結婚生活を振り返って、「自分が夫・妻に一番よく頼んだ願い事は何だろう?」と考えてみることです。あなたが一番相手に願ってきたことが、おそらくあなたの愛の一次言語に関連しています。そして多分それらのリクエストを、あなたの配偶者は「しつこい」とか「せがんでいる」と解釈してきたはずです。しかしあなたは、配偶者から感情的な愛を得ようとしていただけなのです。

インディアナ州メリービルに住むエリザベスという女性は、この方法で自分の愛の一次言語を見つけ出しました。私のセミナーに参加していた彼女は、セッションの終わりにこう話してくれました。

「今までの十年間の結婚生活を振り返って、ピーターに一番願ってきたことは何かと考えたら、すぐに自分の愛の一次言語がわかりました。私は彼とのクオリティ・タイムを一番願い求めてきました。一緒にピクニックに行きたい、週末にどこかに連れていってほしい、テレビを消して一時間でいいから一緒に話をしてほしい、一緒に散歩に行きたい。何度も何度もせがんできました。彼が私の願いにほとんど応えてくれないので、おろそかにされている、愛されていないって思ってきました。

彼は彼で、誕生日や特別の機会に私に素敵なプレゼントをあげるのに、どうしてもっと喜ばないのだろうって不思議に思っていたんです。先生のセミナーを聞いているうちに、二人で『ああそうだったのか！』とわかったんです。主人は休憩の間に、『長い間鈍感ですまなかった。これまで願い事をきいてやらずに悪かった』って謝ってくれました。これからはすべてが変わる、よい関係を築いていくって約束してくれました。私も、そうなると信じています」

愛の一次言語を見つける方法がさらにもう一つあります。夫・妻に愛を表現したい時、あなたは何をしますか。何を言いますか。それをよく吟味してみることです。おそらく、相手にしてあげることは、自分が相手からされたいと願うことでしょう。もし相手のためにいつも「サービス行為」をしているなら、多分（しかし絶対にとは言えませんが）それがあなたの愛の言語でしょう。もし自分に一番愛が伝わる言語が「肯定的な言葉」だと思うなら、あなたはそれを語って相手にも愛を伝えようとしている可能性があります。ですから、「私は夫・妻に自分の愛を意識的に表現しようとする時、何をしているだろうか」と自問することによって、自分自身の愛の言語を見つけることもできるのです。

ただしこのアプローチは、あくまでも愛の言語を見つけるヒントにしかなりません。決定的な方法ではないということを忘れないでください。たとえば、「妻への愛は、素敵なプレゼントを贈ることで表すのだ」と父親から学んだ男性がいるとします。彼は、自分の父親を真似て、妻に贈り物をして愛を表現しようとします。しかし、彼の愛の一次言語は「贈り物」ではないのです。彼はただ、父親に教えられたことをやっているだけなのです。

ここまでをまとめてみましょう。自分の愛の一次言語を発見するためには、三つのやり方があります。

1　配偶者がすること、またはしないことで、あなたが最も深く傷つくことは何ですか。その正反対があなたの愛の言語でしょう。

2　配偶者に最も願ってきたことは何ですか。あなたが相手に一番頻繁に懇願してきたことが、おそらくあなたの愛の一次言語でしょう。

3　いつもどのような形で配偶者への愛を表現していますか。あなたは、自分自身が「こうしてもらうと愛されていると感じる」ことと同じことをして、相手に愛を表現している可能性があります。

以上の三つのアプローチを用いれば、自分の愛の一次言語を見つけることができるでしょう。もし二つの言語が同じくらい深く大きくあなたに愛を語ってくれるならば、あなたはバイリンガルなのかもしれません。もしそうならば、あなたの配偶者にとっては嬉しいニュースです。選択肢が二つあって、どちらで話してもあなたに愛を伝えることができるからです。

ところで、愛の一次言語を見つけるのに苦労するタイプが二つあります。まず、長い間感情的なラブタンクを満タンにして結婚生活を送ってきた人たちがそうです。配偶者がいろいろな形で愛を表現してくれるので、どれが最も愛を伝えてくれる言語なのか、はっきり判断できないのです。ただ相手に愛されていることを知っています。

それから、あまりに長い間ラブタンクが空っぽだったので、何をされたら「愛されている」と感じるのか忘れてしまった人たちも、愛の一次言語を見つけるのに苦労します。

どちらの場合も、「恋に落ちていた頃」までさかのぼる必要があります。そして、「その頃、相手のどんなところが好きだったか。相手が何をした時、何を言った時、この人と一緒にいたいと思ったか」と自分に尋ねてください。その頃のことを思い出すことができれば、あなたの愛の一次言語が何か、大体の見当がつくはずです。別の方法としては、「どんな人が自分の理想の配偶者か。理想的な結婚パートナーがいるとしたら、その人はどんな人だろう?」と考えてみてもいいでしょう。あなたの考える理想の結婚相手が、あなたの愛の一次言語のヒントを与えてくれるはずです。

これらのことをふまえて、少し時間を取って、これだと思う自分の愛の一次言語を書き出してみてください。次に、ほかの四つの言語を大切だと思う順に並べてみてください。そのあとで、あなたの配偶者の愛の一次言語がどれだと思うかを書いてください。他の四つも順に並べてリストにしてもかまいません。それらを書き出したら、あなたが推測した相手の愛の一次言語について、配偶者と話し合ってみてください。自分の愛の一次言語がどれだと思うかについても、お互いに話し合ってください。

情報交換し合ったら、それから三週間、週に三回次のようなゲームをすることをお勧めします。

ゲームの名前は「タンク・チェック」。仕事から帰宅したら、どちらかが相手に「今夜のあなたのラブタンクは、〇から十までのどのあたり?」と尋ねてください。〇は「空っぽ」で、十は「もう愛がいっぱいで、これ以上は入らない」という意味です。尋ねられたほうは、自分の感情的なラブタンクのメモリが〇から十のどこを指しているかを知らせてください。相手は「私（僕）が何をしたら、あなたのタンクが満タンになる?」とさらに尋ねます。相手がそう尋ねたら、その晩に相手にしてほしい・言ってほしいことを提案してください。言われたほうは、できる限りそのリクエストに応える努力をしましょう。その後、今度は交代してもう片方が自分のラブタンクのメモリと、タンクを満たすためにしてほしいことを、相手にリクエストします。こうして夫婦の両方が、自分のラブタンクの状態を知り、それを満たすための提案をする場を得ることができるのです。このゲームを三週間続けたら、やみつきになるでしょう。これは、結婚生活における愛の表現を楽しく刺激する方法です。

しかしある男性はこう言いました。「先生、あのラブタンクのゲームは好きじゃありません。妻とやってみたんですよ。仕事から帰って、『今夜のおまえのラブタンクは〇～十までのどのくらい?』って妻に聞いてみたんです。妻は『七くらい』と返事をしました。それで、満タンにするには何をしたらいいか聞いたんです。そしたら、『お洗濯してくれたら、最高』と言うんです。愛と洗濯ですよ?　さっぱり理解できませんね」

そこで私は言いました。「そこが問題なんですよ。おそらくあなたは、奥さんの愛の言語をきちんと理解していないのでしょうね。あなた自身の愛の一次言語は何ですか」

「身体的なタッチ、特に夫婦生活の性的な部分です」。彼は、何の躊躇もなく、そう答えました。

「いいですか、注意してよく聞いてくださいね。身体的なタッチで奥さんがあなたに愛を表現する、その時にあなたが感じるその愛。それと同じほどの愛を、あなたが洗濯をしてくれる時に奥さんは感じるんですよ」

「それなら洗濯物もどんと来い！」と彼は大声を出しました。「そんなにいい気分にしてやれるんなら、毎晩でも服を洗ってやりますよ」

ところで、自分の愛の一次言語をまだ発見していないという人は、「タンク・チェック」ゲームをする時に記録をつけてください。相手が「何をしたらあなたのタンクを満たす助けになる？」と尋ねる時に、あなたが提案するアイディアは何でしょうか。それはきっとあなたの愛の一次言語に関するものでしょう。もちろん、五つの愛の言語のどれからもリクエストできますし、あなたは実際にそうすることでしょうが、リクエストの多くは、あなたの愛の一次言語が中心になるはずです。

「チャップマン先生、おっしゃることはすべてすばらしいんですが、もし相手の愛の言語が自分の性に合わないものだったら、どうするんですか」これはイリノイ州ザイオンに住むレイモンドとヘレンが私に問いかけた質問です。この本を読んでいる方の中にも、彼らと同じ思いを抱いている人がいるでしょう。

その答えは第十章でお話しします。

第10章　ラブ・イズ・ア・チョイス（愛は選択）

過去の失敗や怠慢に対する傷や怒りが心の中にある時、どうしたらお互いの愛の言語を語ることができるのでしょうか。その答えは、私たち人間の本質に秘められています。人間は、常に選択をして生きています。それはつまり、悪い選択をすることもあるということです。非難する言葉を吐いてしまったり、傷つけたりしてしまうのです。その時には正当だと思った行動であっても、実際には決して誇れる選択ではありません。これは誰もが経験することです。しかし、過去に間違った選択をしてしまったとしても、将来にまでその間違いを引きずっていく必要はないのです。むしろ、「ごめんよ。君を傷つけたことはわかってる。でも、これからは今までと違った関係を築いていきたい。君の愛の言語を話して、君を愛していきたいんだ」と言うことができるのです。私は、愛することを選択した夫婦が、離婚寸前の危機から脱出するのを何度も見てきました。

愛は過去を消し去ってはくれません。しかし、未来を違ったものにしてくれます。私たちが配偶者の愛の一次言語を語ることで積極的に愛を表現しようと決断する時、過去の問題や失敗を処理できる感情的な下地がそこに作り出されるのです。

ある時、ブレントという男性が私のオフィスにやってきました。椅子に腰かけた彼の顔は、石のように硬く、冷たく、無表情でした。彼は、自分の意思ではなく、私に来るようにと頼まれてやってきたのです。実はその一週間前に、彼の妻ベッキーもその同じ椅子に腰かけ、たくさんの涙をこぼしていきました。彼女は、夫ブレントに「もう愛していない。別れたい」と言われたことを、泣きながら途切れ途切れに語ってくれました。ベッキーは、そのことで非常な打撃を受けていました。

落ち着きを取り戻したあと、彼女はこう言いました。「ここ数年の間、二人で一生懸命働いてきました。以前ほどには一緒の時間を過ごしていないとわかっていました。それでも、同じゴールに向かって働いていると思っていたんです。主人の言葉が信じられませんでした。あの人は、いつも優しくて思いやりのある人でした。子どもたちにもとってもいい父親なんです。私たちにこんな仕打ちをするなんて、信じられません」

私は、彼女がそれまでの十二年間の結婚生活について語る話に耳を傾けました。それは、私がそれまでに幾度も聞いてきたような話でした。二人はわくわくするような交際期間を過ごして、恋愛体験の絶頂期に結婚をしました。その後、結婚当初の典型的な調整期を経て、アメリカン・ドリームを追い求める生活を始めました。やがて二人は、「恋に夢中」という感情の高まりから降りてきました。しかし、そこでお互いの愛の言語を語ることを充分に学ばなかったのです。彼女は、ラブタンクが半分空っぽのままでこの数年を過ごしてきました。それでも、二人の結婚は順調に行っている、と思っていました。ところが、彼のラブタンクはまったくの空だったのです。

私は、もしブレントが同意するのなら、彼と会って話すことをベッキーに提案しました。そしてブレントに電話をして、「ご存知のとおり、ベッキーが私のオフィスに来て、夫婦関係の悩みを話してくれました。彼女の助けになりたいと思うのですが、そのためにはご主人の話も伺わなければなりません」と言ったのです。

ブレントは、ためらうことなく私の要請に応じてくれました。そして今、彼は私のオフィスの椅子に腰かけているのです。彼は、外見的にはベッキーとまったく正反対でした。彼女の目からは、涙が止めどもなく流れていましたが、ブレントはまったく無表情で冷静でした。それでも私は、「彼の涙は、今より何週間も何か月も前に流されたのであり、しかもそれは心の中で流されていたのだろう」という印象を受けました。そうして彼の話を聞いて、その直感が当たっていたことがわかりました。

「とにかく、もうベッキーに対してまったく愛を感じないんです」とブレントは言いました。「もうずっと長い間、愛情を感じていません。彼女を傷つけたくはありません。でも、僕らはぜんぜん親密でないし、空々しい関係なんです。一緒にいても楽しくありません。僕ら夫婦に何が起こってしまったのか、わかりません。こんなふうじゃなかったらいいのにとも思います。でも、彼女に対しては、もう何も感じないんです」

ブレントが語ったこの思いは、人類の歴史において、何千何百という夫たちが抱いてきた思いです。これが、お決まりの「もう愛してないんです」という心の姿勢で、ほかの女性との恋愛関係を求めてもいいと思わせる言い訳なのです。もちろん、これと同じ言い訳をする妻たちも、同様に大勢います。

私は、ブレントの気持ちがよくわかり、同情しました。何千という夫や妻が、彼と同じことを経験しています。感情的に空っぽだけれど誰も傷つけたくないし、正しい道を選びたい。でも感情的欲求に押されて、結婚関係以外の場所に愛情を求めてしまう……。幸いにも私は、「愛されていると感じたい」という「感情的必要」と「恋愛体験」の違いに、新婚の早い時期に気づくことができました。しかしながら、実に多くの人々が、いまだにその違いを学び取っていないのです。さらには映画、メロドラマ、コミック雑誌などが、この二つのものを絡み合わせて登場させ、私たちをますます混乱させます。しかし事実、この二つの現象は明確に違うものなのです。

第三章で学んだ「恋に落ちる体験」は、本能のレベルで起こることです。前もって熟考したり、意図的に計画するものではありません。男女の関係においてただ単純に起こることなのです。助長することも抑制することもできますが、意識的な選択によって生じるものではありません。また、その持続期間は短く（普通は二年以下）、ガチョウが交尾期にあげる鳴き声と同じような機能を、人間の男女関係において果たしているようです。

「恋に落ちる」という体験は、私たちの感情的な愛の必要を一時的には満たしてくれます。誰かが自分に関心を持ってくれる、恋をしてくれる、高く評価してくれる、という感覚を恋愛経験は与えてくれるのです。「僕のことをナンバーワンと思ってくれる」、「私との交際に、独占的な時間とエネルギーを注いでくれる」という思いに、私たちの感情は舞い上がります。それからしばらく、その状態が続く限りの間は、感情的な愛の必要は満たされます。ラブタンクは満タンです。「何でもどんと来い。不可能は何もない」と感じるのです。私たちの多くは、恋愛をして初めて、感情タンクが満タンになるという経験をします。だからこそ、まさに幸福感に酔いしれるのです。

しかしやがて、その感情的な高揚から現実の世界へと降りることになります。それまでに配偶者が愛の一次言語を語ることを学び取っていたら、私たちの愛の欲求は満たされ続けます。これに反して、夫・妻が愛の言語を語らなかったら、タンクは少しずつ干上がっていき、やがて「愛されている」と感じなくなるのです。

配偶者の必要を満たすことが意思的な選択であることは、間違いありません。私が妻の感情的な愛の言語を話し、それを頻繁に語るならば、彼女は「愛されている」と感じ続けます。彼女が「恋愛妄想」の世界から降りてきても、感情的なラブタンクは持続して満たされるので、何も失った気はしないでしょう。しかし、もし私が妻の愛の一次言語を学んでいなかったら、またはその言語で愛を語ることを選択しなかったとしたらどうでしょう？　恋愛の高揚感から降りてきた時、当然のことながら彼女は、満たされない感情的欲求に対して切なる思いを抱くことでしょう。そうして空のラブタンクで何年かを過ごしたあと、彼女はおそらくほかの誰かと「恋に落ちて」、その感情的な循環プロセスを新たにスタートさせることでしょう。

妻の愛の必要に応えることは、私が毎日行なっている選択です。私が妻の愛の一次言語を知って、それを話すことを選択すれば、彼女の最も深い感情的必要を満たすことができます。そして彼女は、私の愛の中で安心するのです。もし妻が私のために同じことをしてくれるなら、私の感情的必要も満たされ、二人はフルタンクで夫婦生活を送ることができます。感情的に満足した状態の中で、エキサイティングな結婚生活、成長し続ける夫婦生活を維持することができるのです。それだけではなく、結婚生活以外の場所でも、多くのすばらしい健全な活動に、創造力溢れるエネルギーを注ぐことができるのです。

私は、これらのことを考えながら、無表情のブレントに改めて目をやりました。そして（彼を助けることができるだろうか？）と自問しました。私は、（彼はすでに誰かと「恋愛体験」に陥っているだろうな）と思っていました。ただ、それが初期の段階か絶頂期か……と考えていたのです。感情的に空っぽのラブタンクで苦悩している男性というのは、ほとんどの場合、別の場所で欲求が満たされる見通しがつくまでは、離婚を考えないものだからです。

ブレントは、別の女性と恋に落ちて数か月経つ、と正直に打ち明けてくれました。その女性に対する思いがなくなるように、妻ベッキーとの夫婦生活をどうにか続けられるように願ってきた、とも言いました。しかし家庭での状況は悪化し、この女性に対する愛が増したのだ、と。そして、もうこの新しい恋人なしでの生活など想像できない、と言うのです。

私は、ジレンマに苦しんだブレントをかわいそうに思いました。彼は、本当に妻や子どもたちを傷つけたくなかったのです。しかし同時に、自分は幸せな生活を手に入れてもいいはずだ、と思ったのです。私は、再婚に関する統計（再婚の六十パーセントは離婚に終わること）を話しました。彼はそれを聞いて驚きはしましたが、統計に打ち勝てる、と言いました。離婚が子どもたちにもたらす影響についても話しました。しかし彼は、子どもたちにとってはよい父親であり続ける、子どもたちは離婚のトラウマを乗り切ってくれる、と答えました。

私はさらに、この本で語られている問題について話し、「恋に落ちる」という体験と、「愛されていると感じたい」という深い感情的必要の違いについて語りました。五つの愛の言語を説明して、現在の結婚生活にもう一度チャンスを与えることを勧めました。そう説明しながらも、結婚に対する知的で理性的なアプローチは、有頂天になっている彼の感情的な高揚には勝てないだろうと思いました。オートマチックのライフルを持っている人に空気銃を売ろうとしているようなものです。

彼は、私の心遣いに礼を言い、全力を尽くしてベッキーを助けてやってほしい、と言いました。しかし、現在のベッキーとの結婚生活には何の希望も残っていない、と念を押してオフィスを去りました。

その一か月後、ブレントからの電話を受けました。会って話をしたいと言うのです。二度目に私のオフィスに入ってきたブレントは、見るからに動揺していました。前に見たクールで落ち着いたブレントではありません。話を聞いてみると、彼の恋人が感情的高揚から降り始めたようでした。彼女はブレントの中に嫌いな部分を見つけて、関係から身を引き始めたらしいのです。彼はそのことに打ちひしがれ、その女性が彼にとってどれほど大切か、彼女の拒絶がどんなに耐え難いことかを、目に涙を浮かべながら語りました。私は同情心を持って、彼の話に耳を傾けました。そうして一時間後、ブレントはやっとアドバイスを求めてきました。

私は、彼の痛みに大変同情する、と言いました。そして、彼が今体験している痛みは、失う経験をした時に感じる当然の悲しみであり、その悲しみは一晩でなくなるものではない、と話しました。しかし今回の体験は避けられないものであったことも説明しました。「恋愛体験」の一時的な性質を思い出してほしいと語り、遅かれ早かれ私たちは必ず感情が登りつめたところから現実の世界へと降りてくるのだ、と言いました。結婚する前に降りてくる人もいれば、結婚してから降りてくる人もいます。それについては、あとでこうなるよりも今でよかったと、彼も同意しました。

しばらく話をしたあとで、この危機が彼とベッキーにとって結婚カウンセリングを始めるよいチャンスではないか、と提案しました。「本物の愛、長続きする感情的な愛は、選択である」と前にも言ったことを、もう一度彼に語り、もし二人が正しい愛の言語でお互いを愛することを学ぶなら、二人の結婚も新しく生まれ変わることができる、と説得しました。そうしてブレントは、結婚カウンセリングをすることに同意したのです。

それから九か月後、ブレントとベッキーは生まれ変わった新しい夫婦となって、私のオフィスを後にしました。その三年後に再びブレントに会った私は、彼らがすばらしい夫婦生活を送っていることを知りました。彼は、人生の大きな分岐点において助けられたことを感謝している、と言ってくれました。恋人の女性を失った悲しみは、二年以上も前に完全に消えてしまったそうで、ブレントは「僕のタンクは、今が一番満タンです。ベッキーも今が最高に幸せみたいです」とほほえみました。

ブレントは、「恋愛体験のアンバランス」が幸いにも好転したケースです。つまり、二人の人間が同じ日に同時に恋に落ちることなどほとんどないし、同じ日に同時に恋から冷めることもほとんどありません。そんなことは、社会科学者でなくとも、カントリー・ウェスタンなどの歌詞を聞いていればわかることです。ブレントの恋人は、タイミングよく恋愛から冷めてくれたわけです。

九か月間のカウンセリングで、ブレントとベッキーは長年解決していなかったたくさんの問題に取り組みました。しかし、彼らの結婚生活の回復の鍵となったものは、二人がお互いの愛の一次言語を発見して、それを頻繁に語ることを選んだということでした。

ここで、第九章の最後で紹介したレイモンドとヘレンの質問に戻ってみましょう。「もし相手の愛の言語が、自分が自然にやりたいと思わないこと、自分の性に合わないことだったら？」という質問です。結婚セミナーでもよく同じ質問をされますが、それに対してはいつも、「性に合わないからどうだって言うんですか」と答えています。

私の妻の愛の言語は「サービス行為」です。彼女に対する愛の行為として私が定期的にすることの一つは、掃除機をかけることです。それが、私の「自然にやりたいこと」、私の「性に合っていること」だとお思いになりますか。私は昔、母親にいつも掃除機をかけさせられていました。中学校と高校に通っている間、土曜日は家中に掃除機をかけてからでないと、野球をしにいけなかったのです。その頃の私は、「この家を出たら、二度と掃除機なんかかけないぞ。結婚したら奥さんにやってもらうんだ」と心に決めていました。

それなのに今、我が家に掃除機をかけます。それも定期的にかけているのです。私が掃除機をかける唯一の理由は、妻への愛です。どんなにお金を積まれても、絶対に掃除機をかけようとは思いません。しかし、愛のためにならやるのです。そして、自然にやりたいと思うことでなければ、その分それだけ大きな愛の表現となるのです。私が掃除機をかける時、それがほかの何ものでもない、一〇〇%純粋な愛の表現であることを、妻は知っています。だから彼女も純粋に喜んでくれるのです。

「でも先生、それとこれとは話が違います。僕の妻の愛の言語は『身体的なタッチ』なんです。でも僕は、そういうタイプの男じゃないんです。両親が抱き合ったりお互いに触れたりするところなんか、見たこともありません。僕も両親に抱きしめてもらったことはありません。とにかく、人に触れるのが苦手なんです。どうしたらいいんですか」という方もいるかもしれません。

あなたには手が二つありますか。その手を合わせることができますか。では、想像してみてください。その二つの手の間にあなたの夫・妻を置いて、自分のほうに引き寄せるのです。そうやって相手を抱き寄せる練習を三千回ほどしたら、だんだんと苦手ではなくなるでしょう。

しかし結局、苦手か苦手じゃないかは問題ではありません。肝心なのは愛です。愛とは、あなたが「相手のために」何かをしてあげることです。「自分のために」することではありません。私たちは、自然にしたいとは思わないこと、自分の性に合わないことを、毎日たくさんやっています。朝、布団から出ることも、自然にやりたいと思うことではありません。しかしそれでも、気持ちに反してやっぱり布団から出るのです。なぜですか。それは、その日に「やる価値のある何かがある」ことを信じているからです。そしてその日の終わりを迎える時には、朝起きてよかった、と普通は思うものです。感情がついてくる前に行動を起こすのです。

愛についても同じことが言えます。私たちは配偶者の愛の一次言語を発見し、それが自分の性に合っていようがいまいが、その言語を語ろうと決心し、語ることを選んで行なうのです。そうすれば熱い興奮が込み上げてくる、とは言っていません。ただ、相手の益となるために、そうすることを選ぶのです。ただ配偶者の感情的必要を満たしたいと思い、相手の愛の言語を話そうと手を差し伸べているのです。そしてそれを実行していく時に、夫や妻の感情的なラブタンクは満たされ、相手もおそらくこちらの言語で語り返してくることでしょう。相手が愛を返してくれる時に、私たちの感情は回復し、こちらのラブタンクも満たされてくるのです。

愛は選択です。夫・妻のどちらからでも、愛することを選択して、夫婦関係の回復・改善に取りかかることができるのです。

第11章　愛はすべてを変える

私たちが感情的に必要としているのは、愛情だけではありません。心理学者たちの観察によれば、安心感、自尊心、人生の意味づけも基本的な欲求に含まれるそうです。愛はそれらすべてに働きかけて大きな影響をもたらします。

私は、妻に愛されていると感じる時、彼女が私に悪意を抱いていないことを知ってリラックスします。妻の存在に安心感を与えられるのです。仕事上で大きな不安があったとしても、どこかに私を憎む敵がいたとしても、妻との関係に安心感を得ることができます。

私の自尊心も、妻に愛されている事実によって強められます。結局のところ、配偶者が私を愛しているということは、私が愛される価値のある存在だ、ということに違いありません。たとえ親から否定的な評価をされても、または愛されている確信を得ることができなくても、私の妻は成人した私を知っていて、その上で愛してくれるのです。妻の愛は、私の自尊心を建て上げてくれます。

私たちの行動のほとんどは、「人生に意味を感じたい」という感情的欲求によって影響されています。成功を求める気持ちが、私たちの人生を動かしているのです。私たちは、自分の人生を有意義なものにしたいと願います。意義があるとはどういうことなのか、それぞれが自分なりの答えを持っています。そしてそのゴールに到達するため、懸命に働くのです。

配偶者に愛されていると感じることができれば、自分の存在の意味、人生の重要性は、大いに高められます。自分を愛する人がいるということは、自分が重要な存在であることを示している、と考えるからです。

創造の秩序の頂点に立つ人間である私は、重要な存在です。人として、抽象的に思考する能力を与えられ、言葉を通して自分の考えを伝達し、決断できます。印刷または記録された言葉という媒介を通して、私より先の時代を生きた人々の考えから学ぶこともできます。また、違う時代や文化に生きた人々の体験から、ためになることを吸収することもできます。

私はまた、家族や友人の死を経験して、物質を越える存在があることを感じるようになりました。私は、すべての文化において人が霊の世界を信じていることを発見しました。科学的に観察する訓練を受けた私の思考が、批判的な疑問を投げかけてくる時でさえ、私の心・魂は霊の存在が事実であることを訴えてくるのです。

私は意義ある存在です。人生には意味があります。崇高な目的があるのです。しかし、その事実を心から信じたいと思っても、誰かが私を愛してくれるまで、自分の有意義な存在価値を感じることができないかもしれません。妻が愛情を持って時間とエネルギーと努力を私に注いでくれる時、私は自分が意義ある存在であることを信じることができます。愛がなかったら、存在意義や自尊心や安心感を手探りに探し求めるだけで、一生は終わるかもしれません。しかし愛される時、その愛はすべての必要にポジティブな影響を及ぼしてくれます。その中で、私は自分の可能性を自由に発揮していくことができるでしょう。自分の存在価値がしっかり自覚できると、自分の必要に執着しなくなるものです。そして、努力やエネルギーを外に向けることができるようになります。本物の愛は、常に解放をもたらすのです。

結婚生活で愛を感じないと、夫婦間の相違点は拡大されていきます。お互いのことを、自分の幸せを脅かすもの、と見るようになるのです。そうして自分の自尊心や意義のために戦うようになり、結婚生活は、休息の場所ではなく戦場と化してしまうのです。

愛はすべての解決策ではありません。しかし愛は、それらの問題の解決に安心して取り組むことができる環境を作り出すのです。愛という安心の中で、夫婦は非難し合うことなく、お互いの相違点について話し合えます。そうやって問題を解決していくことができるのです。まったく違う二人の人間が、調和の中で共に生きることを学べるのです。お互いの一番よい部分を引き出す方法を発見することができるのです。これが、愛の報酬です。

配偶者を愛するという決断の中に、結婚生活の偉大な潜在能力が隠れています。そして、相手の愛の一次言語を学ぶことで、その潜在能力を現実にすることができるのです。愛は本当に世界を動かすことができるのです。少なくともジーンとノームの世界は、そうして動かされました。

この夫婦は、三時間かけて私のオフィスにやってきました。夫のノームは、来たくなかったのにしかたなく来たことが、会ってすぐにわかりました。事実、妻のジーンが「別れる」と脅して無理やり引っ張ってきたのです（このアプローチはお勧めできませんが、ジーンはそんな私の意見を知る術もなかったわけです）。彼らは、結婚して三十五年になる夫婦でした。カウンセリングに行ったことは、それまで一度もありませんでした。

まずジーンが話を始めました。「チャップマン先生、最初に知っておいていただきたいことが二つあります。一つは、私たちに金銭問題はない、ということです。この前、雑誌を読んでいたら、夫婦の一番のもめごとは金銭の問題だと書いてありました。けれど、私たちには当てはまりません。二人とも、ずっと働いてきましたし、住宅ローンの支払いも済んでいます。車のローンも終わっています。お金の問題はありません。もう一つは、私たち二人は喧嘩や口論をしない、ということです。友人たちはいつも夫婦喧嘩の話をしますが、私たちはまったく口論をしません。最後に言い争ったのがいつだったか覚えていないくらいです。二人とも、口論は無益だと思っていますので、喧嘩などは一切しないんです」

ジーンがこうして口火を切ってくれたことを、カウンセラーとしてはありがたく思いました。

彼女の話はよく的が絞られており、彼女がじっくり考えてこのオープニングスピーチを用意してきたことは明らかでした。余計なことに手間取らず、カウンセリングの時間を賢明に使いたかったのでしょう。

彼女は続けました。「問題は、主人から何の愛も感じられないことなんです。私たちの生活は、決まりきった毎日です。朝起きて仕事に出かけます。夜は、主人は主人、私は私で自分の好きなことをして過ごします。夕飯は大体一緒に食べますが、まったく会話がないんです。主人は食べながらテレビを見ます。夕食のあとは、地下室で何かごそごそやって、そのあとテレビの前で眠りこけるんです。布団に入ったら、と私が声をかけて、それで一日が終わりです。これが月曜から金曜まで、お決まりのパターンです。

土曜は、主人は朝からゴルフに出かけて、午後は庭をいじって、夜は友人夫婦と四人で夕食に出かけます。主人は友人たちには話しかけるんですが、さあ家に帰ろうと車に乗り込んだ途端に、会話はぴたりとやむんです。家に着くと、布団に入るまでテレビの前で居眠りです。日曜の朝は二人で教会に行きます。先生、日曜日の朝は、いつも必ず教会に行ってます」。彼女はそう強調しておいて、さらに話を続けました。

「教会のあとは、友人たちとランチに出かけます。家に帰ってくると、主人は午後の間ずっとテレビの前で居眠りしてるんです。普通は日曜の夜にも教会へ行ってます。それから家に帰ってポップコーンを食べて、ベッドに入ります。これが、私たち二人の毎週のスケジュールです。本当に何の変化もなく、まるっきりこれだけなんです。ルームメートとして同じ家に住んでるみたいなもんです。二人の間には何もありません。主人から何の愛も感じられないんです。温かさもなければ、感情もありません。空っぽです。死んだ関係なんです。あと何年これに耐えられるか、わかりません」

そう言って、ジーンは泣き出しました。私は、彼女にティッシュを手渡して、ノームのほうをふりむきました。そこで彼は初めて口を開いて、「私には、こいつがさっぱり理解できません」と言いました。しばらく間をおいて、彼は続けました。「愛していることをわかってもらいたくて、思いつくことは何でもやってきました。こいつがあんまり不満をこぼすんで、特にこの二、三年は努力をしてきたつもりです。それなのに、何をやっても駄目なんです。私が何をしても、家内は愛されていないと文句を言います。もうほかに何をしたらいいのか、わかりませんよ」

彼がフラストレーションを感じ、腹を立てていることがわかりました。「ジーンに愛を示すために、どんなことをしているのですか」と私は尋ねてみました。

「まずは、仕事の帰りは私のほうが早いんで、毎晩私が夕食の準備を始めています。一週間の内の四日は、家内が帰宅するまでにはほとんど夕食ができあがっています。残りの一日は外食です。それから、私の仕事で会議がある夜はやりませんが、週に三日は私が夕食の後片づけをします。

家内は腰が悪いんで、家の掃除機かけも全部私がやります。それに家内は花粉症なんで、庭掃除も全部私がやります。乾燥機から出てきた洗濯物は全部私がたたみます」

こうしてノームは、自分が妻のためにしていることをほかにもいろいろ話してくれました。彼がやっと語り終えた時、私は「この女性は何かすることがあるんだろうか」と思ってしまったほどです。家事が、ほかに何も残っていなかったからです。

ノームは続けました。「愛を示そうとこんなにいろいろやってるんです。それなのに、こいつはここに座って先生に『愛されていると感じない』などと抜かすんです。この二、三年は、私にもそうやって不平不満を言ってきました。もうこれ以上、何をすればいいのかわかりません」

ジーンを振り返ると、彼女は言いました。「先生、やってくれていることはありがたいんですが、私は主人に一緒にソファに腰かけてほしいんです。私に話しかけてほしいんです。私たちは全然話をしないんですもの。三十年間、まったく会話をしてきませんでした。主人はいつも忙しそうに皿を洗って、掃除機をかけて、芝生を刈っています。この人はいつも何かしてるんです。一緒にソファに座って、私と一緒に時間を過ごしてほしいのに。私を見てほしいんです。私たちの人生、結婚生活について語り合いたいんです」

ジーンは再び泣き出してしまいました。彼女の愛の一次言語が「クオリティ・タイム」であることは明白でした。彼女は夫に注意を注いでほしくてたまらなかったのです。物のようにではなく、人として扱われたかったのです。忙しく働きまわるノームは、彼女の感情的必要を満たしてはいなかったのです。

さらにノームの話を聞いてみると、彼も愛されていると感じていなかったことが明らかになりました。ただ彼はそれを言葉に出さなかっただけなのです。「三十五年も結婚が続いていて、ローンも借金もなく、口論もしないんだ。これ以上を望むのは贅沢だ」と彼は思っていたのです。そして、それでいいと思っているようでした。

ところが、私が「あなたにとってどんな妻が理想的ですか。もし完璧な妻を持つことができるとしたら、その女性はどんな人でしょう?」と質問すると、彼は初めて私の目をじっと見つめました。そして、「本当に知りたいんですか」と念を押したのです。

私が「はい」と答えると、彼は背筋をまっすぐにしてソファに座り直し、腕を組みました。そして、顔中に笑みを浮かべて言いました。「夢に見たこともあります。私の理想の妻は、夕方家に帰ってきたら、私のために夕飯を作ってくれます。私が庭の手入れをしていると、『夕飯ができたわよ』って呼んでくれるんです。夕食のあとには、後片づけもしてくれます。私も少しは手伝うでしょうが、おもに彼女が自分の仕事としてやってくれるんです。それにシャツのボタンが取れたら、それを縫いつけてくれます」

これを聞いていたジーンが我慢できなくなって口を挟みました。「あなたの言うことなんか、信じないわよ。あなた、料理するの好きだって言ったじゃない」

「料理するのはかまわないよ。だけどこの先生に『理想は何か？』と聞かれたから、答えたまでだ」とノームは言いました。

ノームの愛の一次言語もはっきりわかりました。「サービス行為」です。ノーム自身がジーンにどうやって愛を表現したかを考えたら、一目瞭然です。ノームは、自分が愛されたいやり方で、ジーンに愛を表現したのです。彼の頭の中では、相手のためにサービス行為をすることが、愛を示す方法だったのです。ただ問題は、それがジーンの愛の一次言語ではなかったということです。サービス行為は、彼自身が妻からしてもらったら嬉しいと思うことでした。しかしそれは、彼女にとっては感情的に何の意味も持たないものだったのです
「どうしてこのことを三十年前に教えてくれる人がいなかったんだ？　毎晩ソファに座って十五分間話をしてやれば、こんなにいろいろやらなくてすんだなんて」。これが、ノームの頭の中に理解の光が灯った時に、彼が最初に発した言葉でした。

彼はジーンに向かって言いました。「おまえが『話をしない』って言う意味がやっとわかったぞ。今までは言ってる意味がまったくわからなかったんだ。ちゃんと話をしてると思ってたんだ。『よく眠れたか？』っていつも聞いていただろ？　あれで話をしてると思ってたんだ。

おまえは毎晩十五分でいいから、ソファに座ってお互いに向き合って話をしてほしかったんだ

な。やっとわかった。そしてなぜそれがおまえにとってはそんなに大事なことなのかも、今わかった。それがおまえの感情的な愛の言語だからなんだ。それじゃ、今夜から始めるぞ。これから一生、毎晩ソファに座って話す時間を十五分間取ることにする。約束だ」

ジーンもノームに向かって言いました。「ほんと？　そうしてくれたら本当に嬉しい。私も、あなたのために夕食を作るのは嫌じゃないのよ。私のほうが仕事の帰りが遅いから、いつもより遅い時間になるけど、夕食を作ってあげるのは苦じゃないわ。それに、喜んでボタンも縫いつけてあげる。いつも私がつける前に、さっさと自分でつけちゃってたでしょう？　お皿洗いだって、それであなたが『愛されてる』と感じるんだったら、これから先ずっとしてあげるわ」

こうしてジーンとノームは帰途につき、正しい愛の言語でお互いに愛を語り始めたのです。それから二か月も経たない内に、二人は二度目のハネムーンに出かけました。バハマ諸島から私に電話をかけてきて、二人の夫婦生活に大変化が起こったことを報告してくれました。

結婚生活において、感情的な愛が新しく生まれるということは可能でしょうか。もちろん可能です。その鍵は、あなたが相手の愛の一次言語を学び、それを話すことを選んで決意し、実行することなのです。

第12章　伴侶が敵となる時

九月のある美しい土曜日のことでした。私は家内と二人で、レイノルダ・ガーデンという花園を散歩していました。もともとはタバコ産業界の大物R・J・レイノルズ氏の私有地だったこの庭園は、現在ウェイク・フォレスト大学のキャンパスの一部となっています。世界各地から取り寄せられた花々を鑑賞しながら、私たちは二人で楽しい時を過ごしていました。

こちらに向かって歩いてくるアンに気づいたのは、ちょうどバラ園を通り過ぎた時でした。アンは、私がその二週間前にカウンセリングを始めたばかりの女性でした。彼女は、丸石が敷かれた散歩道を下を向いて歩きながら、何かを深く考え込んでいる様子でした。私が声をかけるとハッと驚いたようでしたが、顔を上げて笑顔を見せてくれました。妻のキャロリンを紹介してあいさつの言葉を交わすと、アンは何の前置きもなく、いきなりこんな質問をしてきました。「チャップマン先生、憎んでいる人を愛することは可能でしょうか」私はそれまで、たくさんの質問を受けてきましたが、このアンの質問は非常に意味の深い問いかけでした。

この質問が、彼女の深い傷の中から生まれたものであることを、私は知っていました。ですから、じっくりと考えて答えるべきだと思ったのです。すでに彼女とは、その翌週にカウンセリングの予約を入れてありましたので、私は「アン、非常に考えさせられる質問だ。来週のセッションで、これについて話してみようじゃないか」と提案しました。アンもそれに同意して別れを告げました。

アンが去ったあと、妻と散歩を続けたのですが、アンが投げかけた質問が頭から離れませんでした。帰りの車の中で、妻と一緒にそのことについて語り合いました。そして、私たちも結婚した当初は、お互いに憎しみの感情をよく抱いたことを思い出しました。相手を責めたり非難したりする言葉がお互いの心の傷を刺激して、それが怒りの感情となって湧いてきたのです。そして、その怒りが内側にたまると憎しみになりました。

そんな結婚生活に変化をもたらしたものが何だったのか、私たちは二人ともしっかり理解していました。それは、「愛する」という選択でした。要求と非難を繰り返すパターンを続けていけば、結婚生活は破滅してしまうことが、お互いにわかっていたのです。

私たちは、幸いにも一年ほどの間に、どうしたら相手を責めずにお互いの相違点を話し合えるのか、どうしたら一致を壊すことなく物事を決断していけるのか、どうしたら要求を突きつける代わりに建設的な提案をしていくことができるのかを学んでいきました。そしてやがて、どうしたら相手の愛の一次言語を話すことができるのかを学んだのです（この頃の経験と洞察については、Moody Publishersから出版された*Toward a Growing Marriage*という本に書きました）。私たち夫婦は、敵意とさえ呼べる非常に否定的な感情の中で、お互いを愛するという選択をしたのです。そしてお互いが相手の愛の一次言語を語り始めた時に、心の中にあった怒りや憎しみの感情は消えていきました。

しかし、当時の私たち夫婦の状況と現在アンの置かれている境遇とは、まったく違うものでした。キャロリンと私は二人とも、夫婦としての学びと成長に積極的に心を開いていました。しかしアンの夫であるグレンには、そんな気が全然ないことを私は知っていたのです。アンは、一緒にカウンセリングに通ってくれるようにグレンに相当頼んだようです。また、結婚生活に関する本を読んだり、テープを聞いたりしてくれるようにと嘆願しました。それなのに彼は、二人の夫婦関係の成長を願う彼女の努力をすべて拒絶してきたのです。彼女の話では、「僕には何の問題もない。問題を抱えているのは君だ」というのが彼のいつもの態度だったようです。グレンの頭の中には、「自分は正しい。彼女が間違っている」という考えしかないようでした。

アンは、もう何年もの間、夫に批判され、責められてきました。その結果、夫に対する愛情をまったく感じられなくなっていたのです。十年間という結婚生活の中で、彼女の感情的なエネルギーは使い果たされ、自尊心もほとんど完全に破壊されている状態でした。このアンの結婚にも希望はあるでしょうか。非常に愛しにくいこの夫を、再び愛せるようになるのでしょうか。そしてこの夫は、いつか彼女の愛に応答するようになるのでしょうか。

アンは、神への深い信仰を持った人で、毎週教会へ通っていました。彼女の結婚が息を吹き返せるとすれば、その唯一の希望は彼女の信仰にあるだろう、と私は思いました。その翌日、アンのことを考えながら聖書を開きました。そしてイエス・キリストの地上の生涯を記録した「ルカの福音書」を読み始めたのです。私は昔からルカの記録書が大好きです。それは、彼が細かいところにまで注意を払って記事を書いているからです。ルカは医者でした。そして、ナザレで育ったイエス・キリストの教えや生き方を、紀元一世紀に順序正しく書き綴った人なのです。そのルカの福音書の中に、イエスの最もすぐれた説教と言われているものが記録されています。これは、愛の偉大なチャレンジ、愛のすばらしい目標となるイエスの言葉です。

「いま聞いているあなたがたに、わたしはこう言います。あなたの敵を愛しなさい。あなたを憎む者に善を行いなさい。あなたをのろう者を祝福しなさい。あなたを侮辱する者のために祈りなさい。……自分にしてもらいたいと望むとおり、人にもそのようにしなさい。自分を愛する者を愛したからといって、あなたがたに何の良いところがあるでしょう。罪人たちでさえ、自分を愛する者を愛しています」（ルカ二六・二七―三二）

私はこの言葉を読んで、二千年前に書かれたこの重大な愛の課題が、アンの進むべき道のようだと思いました。しかし、本当に彼女にできるのでしょうか。いや、できる人などいるのでしょうか。自分の敵となってしまった配偶者を愛することは可能なのでしょうか。自分をののしり、虐待し、侮辱や憎しみの感情をぶつけてくる夫や妻を愛することなど、本当にできることなのでしょうか。それに、たとえアンが夫を愛することができたとしても、その見返りはあるのでしょうか。彼女の夫は変わり、妻に対して愛情や思いやりを表すようになるのでしょうか。

私は、イエスが語った説教を続けて読んでいきました。そして、そこに書かれていた言葉に驚かされたのです。「与えなさい。そうすれば、自分も与えられます。人々は量りをよくして、押しつけ、揺すり入れ、あふれるまでにして、ふところに入れてくれるでしょう。あなたがたは、人を量る量りで、自分も量り返してもらうからです」（ルカ六・三八）

「愛しにくい人を愛する」ことについてのこの古代の愛の原則は、アンの結婚生活のように崩壊してしまった夫婦生活にも効果を発揮することができるのでしょうか。そこで私は、一つ実験をしてみようと心に決めました。「アンが夫の愛の一次言語を学んで、ある一定期間その愛の言語を語れば、彼の感情的な愛の必要が満たされ、やがて彼もそのお返しとして彼女に愛を表現し始める」。この仮説に基づいて、行動を起こすのです。はたしてうまくいくでしょうか。

次の週、私はアンに会い、ぞっとするような彼女の結婚生活の現状に再び耳を傾けました。あらすじを語り終わったところで、彼女はレイノルダ・ガーデンで投げかけてきた質問を繰り返し、こんな言葉でしめくくりました。「チャップマン先生、私はこんな扱いを受けてきたんです。彼をまた愛せるようになるかどうか、自信がありません」

「このことで友達に相談したことがある？」と私は尋ねてみました。

「はい。親しい二人の友人に相談しました。それとほかにも二、三人に少し話をしました」

「何て言われた？」

「別れなさいって。みんな、別れたほうがいいって言うんです。彼は絶対変わりっこないって。自分の苦痛を長引かせてるだけだって。でも先生、どうしても離婚する決心がつかないんです。別れるべきなのかもしれません。でも、それが正しいこととはどうしても思えないんです」

「君は、離婚はよいことではないという信仰的・道徳的な信念と、彼と別れることが感情的な苦痛を脱出する唯一の道だという思いに、板挟みになって悩んでいるようだね」と私は言いました。

「そのとおりです。まさにそう思っているんです。どうしたらいいんでしょうか」

そこで私はこう言いました。「君の心の葛藤に深く同情するよ。本当に難しい状況に置かれているね。楽な解決法があればどんなにいいだろうと思うけど、残念ながらそんな簡単な方法は見つからないんだ。別れるにしても結婚生活を続けるにしても、君にとってはどちらも大きな苦痛を伴うことだと思うよ。しかし、君がその決断をする前に、一つ考えがあるんだ。うまくいくかどうかは定かではないけど、どうか試してみてほしい。今まで話を聞いてきてわかったけど、君は神への信仰を大切にしているし、イエス・キリストの教えを尊重しているよね？」

アンは「そうだ」とうなずきました。そこで私は続けて語りました。「イエスがかつて語った言葉で、今の結婚生活に適用できると思う言葉があるんだ」。そう言って、次の聖書の言葉をゆっくりと読んで聞かせました。

「いま聞いているあなたがたに、わたしはこう言います。あなたの敵を愛しなさい。あなたを憎む者に善を行いなさい。あなたをのろう者を祝福しなさい。あなたを侮辱する者のために祈りなさい。……自分にしてもらいたいと望むとおり、人にもそのようにしなさい。自分を愛する者を愛したからといって、あなたがたに何の良いところがあるでしょう。罪人たちでさえ、自分を愛する者を愛しています」

「どうだろう、君にとってご主人は、ここに書かれているような存在ではないかな？　君を友ではなく敵のように扱った人ではないかな？」

アンは首をたてに振りました。

「ご主人は、君をのろう言葉を吐いたことがあるかい？」

「何度もあります」

「君を虐待するようなことは？」

「いつものことです」

「憎しみに満ちた言葉を投げることは？」

「はい、あります」

「アン、もしやる気があるなら、一つ実験をしてみたいんだ。この聖書の真理を君の結婚生活で実行したらどうなるか、見てみようじゃないか。私の言っている意味がどういうことか、ちょっと説明するよ」

私はアンにそう言って、感情的タンクの概念を説明しました。彼女のようにタンクの中身が減ってしまうと、配偶者に対する愛情がなくなって、むなしさと苦痛を体験するようになることを説明したのです。愛は、非常に深い感情的要求ですから、その欠乏は、おそらく私たちにとって最も深い感情的苦痛であるはずです。もし夫婦が、お互いの愛の一次言語を語ることを学ぶなら、二人の感情的要求は満たされ、相手に対する好意的な思いが再び湧き上がってくるかもしれません。

「アン、言ってることがわかるかな？」

「はい。まるで私の人生の話を聞いているようです。今まで、はっきりわかっていなかったんですけど。私と主人は、結婚するまでは恋愛に夢中でした。結婚してしばらくすると、その興奮は冷めました。でもそこで、お互いの愛の言語を学ばなかったんです。私のタンクはもう長い間空っぽです。彼のタンクも空だと思います。私がもっと早くこのことに気づいていたら、今までのような苦しみは味わわなくてすんだと思います」

「アン、過去に戻ることはできないよ」と私は言いました。「できるのは、これから先を違ったものにすること、そのために努力をすることだ。六か月間の実験をやってみよう」

「何でもやります」。アンはそう答えました。

積極的に取り組む姿勢はいいことだと思いましたが、この実験がどんなに困難であるかを彼女ははたして本当に理解できているのか、少々心配でもありました。

「よし、じゃあ、きちんとした目標を立ててみよう。もし六か月の間に一番の夢がかなうとしたら、その夢とは何かな？」

アンは沈黙してしばらく考えていましたが、慎重に口を開いてこう言いました。「私の夢は、グレンが私をまた愛してくれるようになって、私と一緒に時間を過ごしてくれること、私に愛情を表してくれることです。二人で一緒にどこかへ行ったり何かしたりできたらいいなと思います。私の世界に興味を持ってくれたら嬉しいです。それに外食中に会話ができるようになればいいな。私の話に耳を傾けてほしい。私の考えを重んじてくれることを、ちゃんと感じたいです。それに、旅行に出かけて、また楽しい時を一緒に過ごせるようになりたい。私たちの結婚を何よりも大切だと思ってほしいです」

アンは少し間をおいて、さらに続けました。「私のほうとしては、彼に対してまた優しい気持ちを抱けるようになりたい。彼に対する尊敬を取り戻したい。彼を誇りに思えるようになりたい。

今はそう思えないんです」

私はアンの言うことを書き留めました。彼女がそう語り終えたあと、私は書き留めた彼女の言葉を声に出して読み上げました。「かなり高い目標にも聞こえるけど、本当にこれが君の望むことなんだね？」

「絶対に無理なことに聞こえますね。でも先生、これが、今何よりも望んでいることです」

「じゃあ、これが目標ということに決定。六か月間で君とグレンがこういう愛の関係を持てるようになることが目標だ。

ここで仮説を立ててみるよ。実験の目的は、この仮説が本当かどうかを証明することにある。もし君がグレンの愛の一次言語を六か月間語り続けたら、その途中ある時点で、彼の感情的な愛の必要が満たされ始める。感情タンクが満たされていくにつれ、彼は君に愛を返し始める。そう仮定しよう。これは、感情的な愛の必要が私たちの一番深い感情的な必要だということ、そしてそれが満たされる時に満たしてくれる相手に好意的な応答をする、という考えをもとにした仮定だ」

私はさらに続けました。「この仮説は、君が率先してやることにすべてがかかってる。それがわかる？　グレンはこの結婚を改善しようとしていない。改善したいと願っているのは君だ。君が正しい適切な方向に力を注いでいけば、最終的にグレンがそれに報いてくるだろうというのが僕たちの仮定だ」

ここで私は、医師であるルカによって記録されたイエスの説教から、もう一つの箇所を読んで聞かせました。「『与えなさい。そうすれば、自分も与えられます。人々は量りをよくして、押しつけ、揺すり入れ、あふれるまでにして、ふところに入れてくれるでしょう。あなたがたは、人を量る量りで、自分も量り返してもらうからです』

いいかいアン、イエスがここで述べているのは原理だ。人を操る方法を教えているんじゃないよ。一般的に、愛情を持って人に親切にすれば、人は私たちにも愛情を返して親切にしてくれる。でもそれは、親切にしてやれば、その人を親切な人間に変えることができる、ということじゃない。私たちは、自主性を持ち、独立した個人だ。だから、愛をはねつけ、愛に背を向けることもできるし、愛に唾を吐きかけることさえできる。君の愛の行為にグレンが好意的に応答するという保証はない。ただ、彼がそうする確率が高いというだけだ」(カウンセラーには、個人の行動や態度を完全な確信を持って予測することはできません。カウンセラーにできることは、人格に関するリサーチと研究調査に基づいて、人がある特定の状況においておそらく示すだろうと思われる反応を、予想することなのです)。

アンがその仮説に基づいた実験に合意したあと、私は言いました。「次に、君とグレンの愛の一次言語が何かを考えてみよう。今までの話から察すると、君の愛の一次言語は『クオリティ・

タイム』だと思うけど、どう?」

「そうだと思います、先生」とアンは答えました。「二人でよく時間を過ごしていた結婚当初は、グレンも私の話をちゃんと聞いてくれました。長い時間一緒におしゃべりしたり、どこかへ出かけたり。その頃は、ものすごく『愛されている』と感じていました。あの頃の結婚生活を取り戻すことが何よりの願いです。彼が一緒にいてくれると、彼が私のことを思ってくれていると感じるんです。でも、彼がいつも何かほかのことをして、話をする時間もなくて、一緒に何もしてくれないと、二人の夫婦関係よりもビジネスやほかの関心事のほうが大事なんだと思ってしまうんです」

「グレンの愛の一次言語は何だと思う?」と私は尋ねました。

「『身体的なタッチ』だと思います。特に夫婦の性の営みです。私がもっと彼に『愛されている』と感じていた頃は、二人の性生活も活発で、彼の態度も今とはずいぶん違っていました。だから、彼の愛の一次言語は『身体的なタッチ』だと思います」

「彼は、君の口のきき方について文句を言うことがある?」

「小言ばかり言うっていつも怒ります。それに、心の支えになってくれない、いつも彼の考えに反対するとも言います」

「だったら、彼の愛の一次言語は『身体的なタッチ』で、『肯定的な言葉』が二次言語だと推定しよう」と私は言いました。「否定的な言葉を不満に思うということは、肯定的な言葉が彼にとって大きな意味を持っているからだろうと推測できるからね。

さあ、それじゃ仮説が成り立つかどうかをテストしよう。こういうテスト・プランはどうかな？　家に帰ってグレンにこう言うんだ。『グレン、私たちのことについて、いろいろと考えてみたの。それで私、あなたにとってもっとよい妻になろうと決心したの。だから、どうしたらよい妻になれるか、もし何か提案があったら遠慮なく教えてほしいの。今言ってくれてもいいし、あとで思いついた時にでもいいわ。とにかく、もっとよい妻になれるように努力するから』。その時点での彼の反応がポジティブだろうとネガティブだろうと、それをただの事実として受け止めるんだよ。まずは、君の最初の言葉で、二人の関係に何か新しいことが起ころうとしていることを、彼に知らせることができる。

次に、彼の愛の一次言語が『身体的なタッチ』だという君の推測と、二次言語が『肯定的な言葉』だという僕の推測をもとにして、今から一か月の間はその二つの愛の表現に集中すること。

君がよい妻になることに関して何かグレンが提案してきたら、その情報を受け止めて、それを君のプランに組み込むこと。そして、グレンの生活の評価できる面を見つけて、それを言葉で肯定して、彼を励ましてほしい。その間、不満を言うことを一切控えるんだ。もし不満に思うことがあったら、今月は直接グレンに言わずにノートに書き出しておいてほしい。

それから、君のほうから進んで彼の体に触れること。もっと性生活にも積極的になっていくように。彼からの誘いに応答するだけじゃなくて、自分から積極的になって驚かせること。最初の二週間は少なくとも週に一回、その次の二週間は週に二回セックスをすることを目標にしてほしい」

アンとグレンが過去半年の間に一、二度しかセックスしていないことを、すでに彼女から聞いて知っていました。しかし、この積極的なプランが、これまでの膠着状態を迅速に打開してくれる、と思ったのです。

アンが答えて言いました。「先生、これはとても難しそうなプランですね。できるかどうか自信がありません。普段は私のことを無視している主人に、性的に応答するのは無理なんです。今までの性生活でも、『愛されている』というよりは『利用されている』と感じてきました。いつも私のことなんか何とも思っていない素振りなのに、夜になるとベッドに飛び込んできて私の体を使うんです。そのことには、いつも苦々しい思いを抱いてきました。ここ数年間あまりセックスをしなかったのも、それが原因だと思います」

「君のそういう反応は、自然で正常なものだよ」と私は言いました。「たいていの女性は、『夫に愛されている』という意識から、夫との性的な親密関係を求めるものだからね。『愛されている』と感じれば、性的な親密関係を求めるだろう。『愛されていない』と感じれば、性的に利用されているように感じるだろう。だからこそ、愛してくれない人を愛することは、非常に難しいんだ。自分の自然な思いに逆らうことをするわけだからね。君も、これを実行するためには、神への信仰にかなり頼る必要があると思うよ。敵を愛する、自分を憎む者を愛する、自分を利用する者を愛する、というイエスの説教をもう一度読むことも君の助けになると思う。そして、イエスの教えを実践できるように助けてください、と神に願うことだ」

アンが私の話を理解してくれていることがわかりました。かすかにうなずきながら、私の話に耳を傾けていたからです。しかし、その彼女の目には疑問も浮かんでいました。

「でも先生、こんなに嫌悪感を抱いている相手に性的な愛を示すのは、偽善的な行為ではないのでしょうか」

「そうだね、感情としての愛と、行為としての愛を区別したら、わかりやすいかもしれないね」と私は答えました。「自分にない感情を『持っている』と言い張れば、それは偽善だ。そんな偽りのコミュニケーションでは親密な関係など築けない。でも、君が相手の益や喜びになることを考えて愛の行為を行なうなら、それは単純に愛の選択だ。その行動が深い感情のつながりから生まれたものだ、と主張しているのではない。相手の益となる何かをしよう、と愛することを選択しただけなんだ。イエスの言っている愛とは、そういう意味の愛だと思うよ。

確かに、自分を憎む相手に対して温かい気持ちは湧いてこない。もし湧いてきたら、それは異常だ。しかし、そういう人々に対して愛の行動を起こすことはできる。それは純粋に私たちの選択の問題だ。もちろん、そういった愛の行為が、相手の態度や行動や対応によい効果をもたらすようにとは願うが、そうなる保証はない。でも少なくとも私たちは、相手のために何か好意的なことをしようと選択したんだ」

アンは、とりあえず私の答えに満足した様子でしたが、このことについてはまた後に話をすることになるだろうと思いました。そしてもし、この実験がうまくスタートできるとしたら、それはアンの深い信仰のゆえに起こり得ることだと思いました。

私はさらにいくつかの指示を与えました。「実験開始から一か月が過ぎたら、グレンに意見や感想を聞くこと。自分の言葉でいいから、『しばらく前にいい妻になる努力をしたいって言ったけれど、私が進歩したかどうか、あなたの意見を聞きたいの』とグレンに尋ねてみて。

その時グレンが何と言おうと、それを単なる情報として受け取ること。嫌味を言われるかもしれないし、軽薄な態度や敵意さえ示すかもしれない。あるいは、ひょっとすると好意的なことを言ってくれる可能性もある。とにかく彼の反応がどうであれ、議論しないでただそれを受け止めて、君が真剣なこと、本当によい妻になりたいと思っていることを伝えるんだ。もし追加の提案があれば、それも喜んで聞かせてほしいと言うんだよ。

そうして六か月の間、毎月一回彼の意見を聞くというパターンを続けてほしい。グレンが初めて好意的な感想を述べてくれた時、彼が『いい妻になる努力をするって最初に聞いた時は笑い飛ばしたけど、確かによくなってきてることは認めざるを得ないな』って初めて言った時、それが君の努力が伝わっているとわかる瞬間だよ。

初めの月からポジティブなコメントをくれるかもしれないし、二か月、三か月後かもしれない。とにかく、初めて肯定的な感想をもらったその一週間後に、今度は君のほうからグレンに何かをリクエストしてほしい。何かしてほしいこと、君の愛の一次言語に一致したことをリクエストするんだ。たとえばある晩、『あのね、お願いがあるの。ほら、昔よく二人でスクラブル（訳注・盤面に単語を並べるボードゲーム）をしたじゃない？　また一緒にやりたいの。火曜日の夜、子どもたちはメアリーの家に泊まることになってるのよ。その晩、一緒にスクラブルできるかな？』というふうに頼むんだ。リクエストは具体的なものにするんだよ。『もっと一緒に時間を過ごしたいわ』なんて漠然としているのは駄目。ぼやっとしてははっきりしないから、リクエストに応えてくれたかどうかもちゃんとわからないからね。具体的なリクエストをすれば、君が求めていることが何なのかきちんと伝わる。そして彼がそれに応じてくれた時、それを君のためにやってあげようと選んでしてくれたことが、君にもはっきりとわかるからね。

毎月はっきりした具体的なリクエストを一つ出すこと。それに彼が応えてくれたらオーケー。応えてくれなくてもオーケー。でももし彼が応えてくれたら、それは彼が君の必要に応えてくれているってことだよ。そうしていく過程の中で、君の愛の一次言語が何かを彼に教えてあげるんだ。君のリクエストは、君の愛の言語に沿ったものだからね。彼が君の愛の一次言語で話すことを選んだら、彼に対する愛情も増し加わってくるだろう。君の感情タンクも満たされ始めたら、やがて夫婦生活は本当に生まれ変わっていくはずだ」

「先生、もし本当にそうなるなら、何だってやります」とアンは答えました。

「大変な努力を必要とすることだけど、試してみる価値はあると思うよ。私も個人的に、この実験が成功するかどうか、私たちの立てた仮説が真実かどうかを見てみたい。この期間中は、二週間に一度オフィスに来てほしい。グレンに語った肯定的な励ましやほめ言葉を毎週記録しておいてね。それから、グレンに直接言わないでノートに書き留めた不満のリストも持ってきてください。君の感じる不満の中から、グレンへの具体的なリクエストを作っていこう。それも君のフラストレーション解消の助けになるだろう。いずれは、どうやってそういったフラストレーションや苛立ちを建設的な形でグレンに伝えればいいのかを学んでほしい。それに苛立ちや問題を解決していく方法を君たち二人に学んでいってほしい。でもとにかくこの六か月の実験期間中は、グレンに不満をこぼさず書き留めておくこと」

こうしてアンはオフィスを去りました。彼女は、「憎い相手を愛することができるか」という彼女自身の質問の答えを手に握って帰っていった、と私は信じていました。

アンは、それからの六か月間で、夫グレンの彼女に対する態度や扱いに大きな変化を見ることになりました。最初の月の彼の態度は軽薄なもので、彼女の言うことを真剣には受け止めていない様子でした。しかし二か月が過ぎた頃、グレンは彼女の努力に好意的な反応を示しました。それからの四か月間、アンのリクエストのほとんどに積極的に応えてくれたのです。それによって、彼に対する彼女の気持ちもみるみるうちに変わっていきました。グレンは一度も私のオフィスを訪れませんでした。しかし私の講演のテープをいくつか聞いて、それについてアンと話し合ったそうです。彼がアンにカウンセリングを続けるように勧めたので、彼女はその実験が終わったあともさらに三か月通ってきました。グレンは今日に至るまで、私のことを奇跡を起こす人だと友人たちに話して聞かせるそうです。しかし奇跡を起こすのは、実は愛なのです。そして私はその真実を知っている者なのです。

あなたの結婚生活にも奇跡が必要なのかもしれません。それなら、アンの実験を試してみてはいかがでしょうか。あなたの夫・妻に、「二人の結婚生活について考えてみた。あなたの必要をもっと満たせるようになろうと決心した」と言ってみてはどうでしょうか。あなたが夫・妻としてよくなるためにはどうしたらよいか、相手の意見を尋ねてみてください。相手が応えてくれる提案や意見は、彼・彼女の愛の一次言語を知る手がかりになります。答えが返ってこない時は、それまでに相手が言ってきた文句や不満をもとにして、相手の愛の言語を推測してください。そうしてそれからの六か月間、その愛の言語にあなたの注意と努力を集中してください。そしてひと月終わるごとに、あなたの努力に関する意見とさらに何か提案がないかを尋ねるのです。

あなたに進歩・改善が見えると相手が言ったら、一週間待ってから具体的なリクエストを出してみましょう。リクエストは、あなたが本当に相手にしてほしいと願うことにしてください。相手がリクエストに応じることを選んだら、それは彼・彼女があなたのニーズに応えているということです。

もしリクエストに応えてくれなくても、そのまま相手を愛し続けてください。翌月には積極的に応えてくれるかもしれません。相手があなたのリクエストに応え、あなたの愛の言語を語り始めたら、相手に対するあなたの感情も好意的なものになっていくでしょう。そして、やがて二人の結婚生活は生まれ変わるはずです。結果を保証することはできません。しかし、これまでに私がカウンセリングしてきたたくさんの人々が、この愛の奇跡を体験しているのです。

第13章　子どもに愛を語ろう

愛の言語という概念は、子どもにも当てはまるものなのでしょうか。これは、結婚セミナーの参加者によく尋ねられる質問です。私の見解では、当てはまると思います。もちろん、小さい子どもの愛の一次言語は、なかなかわからないものです。ですから、五つのすべての言語で愛を注いであげるべきでしょう。それでも、子どもの行動を注意してよく観察してみると、幼い子の場合でも、わりと早くから愛の一次言語を発見することができるはずです。

ボビーは六歳の男の子です。父親が帰宅すると、膝に飛び乗って手を伸ばし、父親の髪の毛をくしゃくしゃにします。ボビーは父親に何を伝えているのでしょうか？「僕に触ってよ」と言っているのです。この子は、自分が触れられたいので、父親に触れているのです。ボビーの愛の一次言語は、おそらく「身体的なタッチ」に間違いないでしょう。

一方、パトリックはボビーの隣に住む五歳半の男の子です。二人はいつも一緒に遊んでいる仲良しですが、パトリックの家ではまったく違った場面が展開されます。父親が帰宅すると、パトリックは興奮した声で、「パパ、来て来て。見せたいものがあるから。ねえ早く来て」と言います。父親は、「ちょっと待って。まずはゆっくり座って新聞でも読ませてくれ」と返事をします。パトリックは一応その場を去りますが、十五秒後には、「ねえパパ、僕の部屋に来て。見てほしいものがあるの。今、来て」とまた始まります。

「ちょっと待ちなさい。二、三分休ませてくれ。まずこれを読んでからだ」と父親は答えます。

そこで母親がパトリックの名前を呼ぶと、彼はダッと走って母親のもとに行きます。母親は、「パパは疲れているんだから、しばらく新聞を読ませて休ませてあげなさい」とたしなめます。「でもママ、僕が作ったのをパパに見せたいんだ」と彼は言います。「わかってるわ。でもね、パパにしばらくお時間をあげなさい」と母親はさとします。

その六十秒後、パトリックは新聞を読む父親のもとに戻り、笑い声をあげながら、父親の広げた新聞に飛び乗ります。父親は、「おいおい、何をするんだ」と言います。「僕の部屋に来てよ、パパ」とパトリックはなおも言い張ります。

さて、パトリックは父親に何を求めているのでしょうか。それは「クオリティ・タイム」です。父親が自分に集中して注意を向けてくれることを求めているのです。パトリックは、それが与えられるまでせがみ続け、騒ぎを起こしてでもそれを得ようとするはずです。

あなたの子どもが、いつも何かプレゼントを作って、それを包んだり、目をキラキラさせながらそれをあなたにくれしたりしているなら、おそらくその子の愛の一次言語は「贈り物」でしょう。自分がもらうとうれしいので、あなたに贈り物をするのです。

いつも下の子の面倒を見る子なら、その子の愛の一次言語は、「サービス行為」かもしれません。

「お母さんってきれい」、「お父さんみたいにいいお父さんを持ってよかった」、「お母さん、上手だね」など、いつもあなたに励ましの言葉をかける子ならば、その子の一次言語が「肯定的な言葉」である可能性が高いと言えるでしょう。

もちろん、子どもたちは、こういったことを潜在意識のレベルで行なっています。つまり、「僕がプレゼントをあげたら、パパとママも僕にプレゼントをくれるに違いない」とか、「私が触ったら、触ってもらえるだろう」などと意識的には考えていないのです。子どもはただ、自分の感情的欲求に促されて行動しているだけなのです。

ある特定のことをしたり、言ったりすると、たいていは親から決まった反応が返ってくることを、子どもたちはおそらく体験から学んでいます。そこで彼らは、自分の感情的ニーズが満たされるような結果をもたらす言動をするのです。

すべてがうまくいって、感情的ニーズが満たされていれば、子どもは責任感のある大人に成長していきます。しかし、もし感情的ニーズが満たされていないと、ニーズを満たさない親に対して怒りを表したり、不適切な場所に愛を求めたりと、社会や家庭で許されない行動を取るようになるかもしれません。

　感情的な愛のラブタンクについて初めて私に話をしてくれたのは、精神科医ロス・キャンベル博士です。博士は、性的非行または性的違法行為を犯した青少年の治療に長年携わってきた方です。その博士は、感情的な愛のニーズを親にしっかりと満たされている青少年を治療したことなど一度もない、と言っています。ほとんどすべてのケースにおいて、青少年の性的非行は、空っぽのラブタンクにその根本的な原因がある、というのが博士の見解です。

　あなたの住む地域でも、こんな話を耳にしたことはありませんか。十代の少年が家出をし、親はオロオロしながら、「あの子にはいろいろと尽くしてきたのに、どうしてその親に対してこんなひどいことをするのか」と嘆いています。一方、息子本人は、家から百キロ離れた児童保護施設で、カウンセラーに向かって、「両親は、僕のことなんかどうでもいいんです。父も母も、弟は可愛がるけど、僕のことなんか愛してないんです」とつぶやいているのです。実際のところ、この両親は少年を愛しているのでしょうか。ほとんどの親は、子どもを愛しています。では何が問題なのでしょう？　おそらくこの両親は、子どもにわかる愛の言語で愛情を伝達していなかったのです。

　両親は、息子に愛情を示そうとして、野球のグローブや自転車を買い与えたかもしれません。しかし、息子は「僕とキャッチボールしてよ。一緒に自転車に乗りに行こうよ」と訴えていたとしたらどうでしょう。野球のグローブを買い与えることと、一緒にキャッチボールをすることには、「空のラブタンク」と「満タンのラブタンク」ほどの大きな差があるのです。

親はほとんどの場合、心から子どもを愛することができます。しかし、「心から」だけでは足りないのです。もし子どもの感情的な愛のニーズを満たしたいと願うなら、子どもたちの愛の一次言語を学び取り、それを語って愛を伝えなければならないのです。

それでは、子どもを愛するということに関して、五つの愛の言語を見ていきましょう。

肯定的な言葉

一般的に親というものは、子どもが小さい時には肯定的な言葉をたくさんかけてあげるものです。子どもが言葉によるコミュニケーションを理解できない頃から、「なんて可愛い鼻でしょう。なんてきれいな目でしょう。なんてふさふさの髪でしょう」と語りかけてあげます。子どもがはいはいをするようになると、ちょっとした仕草にも拍手をして、肯定的な言葉をかけてほめたり励ましたりします。その子がよちよち歩きを始め、ソファーに片手をついて立ち上がると、少し離れた所から、「ほーら、こっちに歩いておいで。そうそう! 上手、上手。歩いておいで」などと励まします。子どもが半歩も歩かずに転んだら、何と言うでしょう? まさか、「何だ、まったく駄目な子だな。歩けないのか」とは言いません。「よくできた!」と言ってあげます。だからこそ、その子は立ち上がって、歩くことに再挑戦できるのです。

それなのに、どうしてその子が少し大きくなると、肯定的な言葉が非難の言葉に変わってしまうのでしょうか。子どもが七歳になると、その子の部屋に行って「おもちゃをおもちゃ箱にしまいなさい」と言います。十二個のおもちゃが床に散らばっています。五分後に様子を見にいくと、七つのおもちゃが箱にしまわれていました。そこで親は何と言うでしょう？「ちゃんとおもちゃを片づけなさいと言ったでしょう！　どうしてやらないの。片づけないんなら……」と始めてしまうのではないでしょうか。きちんと箱に片づけられた七つのおもちゃのことは、どうなのでしょう？　どうして、「ジョニー、おもちゃを七つ片づけたね。えらいね」と言ってあげないのでしょう。もしそう言ってあげたら、残りの五つもすぐに箱の中に納まってしまうのではないでしょうか。私たちは、子どもが成長するにつれて、成功をほめてあげるよりも失敗を非難するようになってしまうのです。

私たちの否定的で批判的で屈辱を与える言葉は、「肯定的な言葉」を愛の一次言語に持つ子どもたちに精神的な恐怖感を与えます。「太りすぎだ。誰もデートしてくれないぞ」、「まったく勉強ができない奴だ。もう中退したらどうだ」、「どうしてそんなに馬鹿なんだ」、「なんて責任感のない奴だ。大きくなっても大した人間にはなれないな」。子どもの頃に聞いたこういった非難の言葉は、その二十年後、三十五歳に成人した大人の耳にもまだ鳴り響いているのです。こうして愛の一次言語を破壊的な形で踏みにじられた大人たちは、一生、自尊心の問題に悩み、「愛されていない」と感じながら生きていくのです。

クオリティ・タイム

クオリティ・タイムとは、子どもに一心に注意を注いであげることです。小さい子どもの場合は、一緒に床に座ってボールを転がし合って遊んでもらうことが、親と過ごすクオリティ・タイムになります。ミニカーや人形で遊んであげたり、一緒に砂場に行って砂のお城を作ったりするのもよいでしょう。とにかく子どもの世界に入って、子どもと一緒に何かをすることが「クオリティ・タイム」なのです。大人であるあなたは、コンピューターの世界が好きかもしれません。しかし子どもは子どもの世界で生きているのです。後になってその子を大人の世界へ導く役割を果たしたいと願うのなら、小さい頃には子どものレベルに合わせてあげる必要があるのです。

子どもは、成長するにつれて新しい関心事を持ち始めます。それに応答してその子のニーズを満たしていくためには、あなたがその関心事に積極的に取り組んであげなければなりません。もし子どもが野球に興味を持ち始めたら、あなたも野球に関心を持って、一緒に野球をしたり野球の試合を見に連れていったりしてあげてください。もし子どもがピアノに興味を持ったら、あなたも一緒にピアノに興味を持ってください。一緒にレッスンを受けてもいいでしょう。少なくとも子どものピアノの練習に、少しの間でもじっと聞き入ってあげるように努力をしてください。子どもに注意を注ぐことが、その子を愛していること、その子があなたにとって大切な存在であり一緒にいることが楽しい相手だということを、伝えてくれるのです。

子どもの頃を振り返ってみると、親の言ったことはあまり記憶していなくても、してくれたことは覚えているという人が大勢います。ある男性は、「僕が高校生の時、父は僕の試合を一度も逃さず見にきてくれました。僕がすることに関心をもってくれました」と言いました。この男性にとっては、「クオリティ・タイム」が非常に重要な愛のコミュニケーション方法なのです。もしあなたの子どもの愛の一次言語が「クオリティ・タイム」であり、あなたがその愛の言語で愛情を伝えているなら、その子は思春期に入ってからも、親であるあなたと共に有意義な時間を過ごしてくれるはずです。

逆に、小さい頃にそういう時間を持たなかったのに、子どもが思春期に入ってから急に一緒に時間を過ごそうとしても無理でしょう。その頃には、子どもはそれまで注意を払ってくれなかった親との距離を置き始め、友人たちとの時間を求めるようになっているからです。

贈り物

多くの親（そして祖父母）が、贈り物の言語を語りすぎてしまうものです。実際におもちゃ屋に足を運んでみると、「世の親たちは皆、贈り物が愛の唯一の言語だと信じているのだろうか」と思ってしまうほどです。金銭的に裕福な親は、子どもにたくさんのプレゼントを買い与える傾向があります。それが愛を示す一番の方法だと信じている親がいます。自分の両親ができなかったことを、自分の子どもにしてあげたいと思う親もいます。そういう親たちは、自分が子どもの時に欲しかった物を子どもに買い与えるのです。しかし、その子どもの愛の一次言語が「贈り物」でない限り、買い与えるプレゼントは、その子にとって感情的にはあまり意味のないものなのです。親はよかれと思って買ってやるのですが、贈り物でその子の感情的ニーズを満たすことはできないのです。

もし子どもが、あなたから贈り物をもらってもすぐに脇に置いたり、あまり「ありがとう」と言わなかったり、与えた物を大切に扱わないようなら、多分その子の愛の一次言語は「贈り物」ではないでしょう。一方、贈り物に大変な感謝を示し、そのプレゼントを他人に見せてまわり、贈り物をくれた親のことを誇らしげに語り、もらった物を部屋の一番目につく場所に飾り、それを磨いたり、長い期間に渡ってそれで遊んでいる子は、おそらく「贈り物」を愛の一次言語とする子どもでしょう。

自分の子どもの愛の言語は「贈り物」だが、プレゼントを買うお金があまりない、という親もいるでしょう。心配ご無用。大切なのは、贈り物の質や値段ではありません。それをしっかり覚えていてください。大事なのは気持ちです。自分のことを思ってくれたことが嬉しいのです。

手作りの物をたくさん贈ることもできます。子どもは往々にして、工場で製造された値段の高いおもちゃよりも、手作りの贈り物を喜ぶものです。実際、小さい子どもはよく、おもちゃよりもおもちゃの入っていた箱で遊んでいます。それに、人がいらなくなったおもちゃを、きれいにして使うこともできます。壊れたおもちゃを子どもと一緒に修理するのも楽しいでしょう。とにかく、大金持ちでなくても、子どもにプレゼントを与えることはできるのです。

サービス行為

子どもがまだ小さい頃には、親は継続的に「サービス行為」を行ないます。そうしてあげなければその子は死んでしまいます。子どもが産まれて最初の一、二年は、お風呂に入れることも、お乳を飲ませることも、服を着替えさせることも、すべてが大変な作業です。乳離れすると、今度は食事を作ってあげたり、洗濯してあげたり、アイロンかけをしたりと、サービス行為は続きます。さらに数年経つと、お昼のお弁当を作ったり、宿題を手伝ったり、稽古事へ通わせるために送迎サービスをすることになります。もちろん多くの子どもたちは、こういった親のサービス行為を当たり前のように思っています。しかし中には、こうした行為を愛のコミュニケーションとして受け止める子どもたちもいるのです。

あなたの子どもは、普通どの親でもするような世話に対してよく感謝の気持ちを表しますか。もしそうなら、その子にとってはそういった行為が感情的に大切であるというヒントです。あなたがいろいろ面倒をみてやることが、その子には深い意味を持ち、あなたの愛を感じることができるのです。あなたが理科の実験や宿題を手伝ってあげる時、それはよい点数や成績につながるだけでなく、「お父さん（お母さん）は、僕のことを愛してくれているんだ」というメッセージを語っているのです。壊れた自転車を修理してあげる時は、またその自転車を使えるようになるという事実以上に、あなたはその子の感情タンクを満タンにしているのです。

よくお手伝いをしたがる子どもは、そうすることであなたへの愛を表現しているのでしょう。その子の愛の一次言語はおそらく「サービス行為」です。

身体的なタッチ

「身体的なタッチ」が子どもとコミュニケーションを取るよい方法であることは、昔から知られています。よく触れられた赤ちゃんが、そうでない赤ちゃんよりも感情的に健全な子どもに成長していくことは、研究で明らかにされています。多くの親、そして周囲の他の大人たちも、わりと自然に赤ちゃんに手を伸ばし、抱きかかえたり、抱きしめたり、頬やおでこにキスしたりしながら話しかけます。その子は、愛という言葉の意味を理解するずっと以前から、愛されていることとを感じ取るのです。抱く、キスする、背中を軽く叩く、手をつなぐなどは、すべて子どもに愛を伝える方法です。

もちろん、赤ちゃんにするようには十代の若者に抱きついたりキスしたりはできません。子どもの同級生の前でそんなことをしたら、かなり嫌がられることでしょう。しかしながら、それは「触れられたくない」ということではありません。「身体的タッチ」を愛の一次言語に持つ若者なら、特にそうです。

十代の息子・娘が、後ろから忍び寄って肩や腕をつかんであなたを驚かせたり、部屋を横切る時にわざと軽くぶつかってきたり、通り過ぎるあなたの足首をつかんだり、足を引っかけてつまずかせようとしたりするのは、「身体的タッチ」がその子にとって大切だというしるしです。

子どもたちをしっかり観察してください。彼らが他人にどう愛を表現するかにも目を留めてください。それが彼らの愛の言語を知るヒントになります。彼らの頼みごとにも心を留めてください。なぜなら、そういったリクエストはたいてい、彼ら自身の愛の言語に沿った事柄だからです。一番喜ぶこと、ありがたがることは何かに注意してください。おそらく、それがその子の愛の一次言語でしょう。

私の娘の愛の言語は「クオリティ・タイム」です。ですから、私は娘が小さい頃から、よく二人で散歩をしました。娘は、高校生になると国内でも最も古い女子高に通いました。その頃、古風な趣のあるオールド・セーレムの町をよく二人で散歩したものです。この町は、二百年ほど前にモラヴィア派（訳注・十五世紀にモラヴィアで起こったキリスト教プロテスタントの一派）によって再建されました。石畳の小道を歩いていると、簡素な生活をしていた一昔前の時代に戻ったような気分になったものです。古い共同墓地を通り過ぎる時には、そのたびに、生と死の現実を考えさせられました。その頃は、一週間に三回は親子で午後の散歩をしていました。シンプルな町並みに囲まれて、長い時間いろんな話をしました。現在、娘は医師です。しかし実家に帰ってくるたびに、「ねえ、お父さん。散歩に行こうか」と言います。娘の誘いを拒んだことは一度もありません。

私の息子は、一度も私と一緒に散歩してくれたことがありません。「散歩なんてアホくさい！行き先がないのに歩くなんてさ。どっかに行きたければ、車で行けばいい」というのが彼の意見です。

これは「クオリティ・タイム」が彼の愛の一次言語ではないからです。私たち親というものは、子どもたちを全員同じ型に入れて扱ってしまいがちです。子育てのセミナーに行ったり、子育ての本を読んですばらしいアイディアを得ると、子どもにそれを試してみます。ところが、問題は、子どもは一人一人違っているということです。

一人の子に愛を伝えるものが他の子には愛を伝えない、ということが多々あります。あなた自身が子どもとのクオリティ・タイムを過ごしたいからといって、散歩を子どもに強いるのは愛のコミュニケーションではありません。子どもに「愛されている」と感じてほしいならば、その子の愛の言語をあなたが学んで愛を語ってあげなければいけないのです。

ほとんどの親は自分の子どもを心から愛している、と私は思っています。それなのに多くの親たちは、適切な言語で子どもに愛を伝えることに失敗し、それゆえにこの国の多くの子どもたちは空っぽの感情タンクを抱えて生きていると思うのです。青少年や若者の非行・不品行のほとんどは、空のラブタンクに原因があると思うのです。

愛を表現するのには、遅すぎるということは決してありません。すでに幼くはない子どもを持つ人でも、今まで間違った愛の言語を語ってきたと気づいたなら、その子にこう言ってみてはどうでしょうか？「今愛情表現についての本を読んでいる。それで、今までベストな形であなたに愛情表現できていなかったことに気がついた。今までは――することで愛を示そうとしてきたけど、それではよく愛情が伝わらなかったんじゃないかなと思う。あなたの愛の言語はそれではなくて、もしかしたら、――じゃないかって思い始めた。お母さん（お父さん）は、あなたのことが本当に大好きで大切だから、これからはもっとよく愛が伝わるように表現したいと思っている」

さらには、五つの愛の言語を説明して、あなたの愛の言語と子どもたちの愛の言語について、一緒に話し合うこともできるかもしれません。

もしかしたらあなた自身は、大きくなった自分の子どもから愛を感じていないかもしれません。愛の言語の概念が理解できる年の子どもなら、それについて一緒に話し合うことで、その子の目を開くこともできるでしょう。子どもたちが親の愛の言語を話すことに乗り気になれば、あなたもそれに嬉しい驚きを感じるでしょう。そしてもし子どもたちが、あなたの愛の言語で親に対する愛情を表現し始めたら、あなたのその子たちに対する気持ちや態度も変わっていくことでしょう。家族全員がお互いの愛の一次言語で愛を語り始めたら、家庭全体の雰囲気はぐんとよくなるはずです。

第14章　おわりに

第二章で、「あなたが五つの愛の言語を理解し、配偶者の一次言語を学べば、あなたの配偶者の態度・行動に革命的な変化が起こるでしょう」と書きました。さて、この本を読んだ今、皆さんはどう思われますか。

この本を通して、私たちは何組かのカップルの夫婦生活・体験に触れてきました。あなたはこの本を通して、私と一緒に小さな町から大都市までいろいろな場所を訪ね、私のオフィスでカウンセリングに立会い、レストランで一緒に座って、様々な体験談を聞いてきたのです。ここに書かれている愛の言語の概念・コンセプトは、あなたの結婚生活にも大きな変化をもたらすことができるとお考えでしょうか。あなたが配偶者の愛の一次言語を発見して、それを用いて常に愛のコミュニケーションを図るようになったら、何が起こるでしょうか。

実際に自分が試してみるまでは、誰もこの問いに答えることはできません。ただ私にわかっていることは、私の結婚セミナーに参加した数多くの夫婦が、愛することを選択して結婚相手の愛の一次言語を語ることで、結婚生活の劇的な改善を経験したということです。感情的な愛の必要が満たされる時、夫婦が建設的な結婚生活を送ることのできる感情的環境が作り出されるのです。

私たちは、一人一人異なる性格と異なる過去を持って結婚生活に突入します。つまり私たちは、結婚という関係の中に、様々な心の悩み、問題、情緒的な重荷を持ち込んでくるのです。結婚生活に寄せる期待・希望も、それぞれ違っているでしょう。物事へのアプローチのしかたも異なっています。それに、人生で大切なものは何かということに関する意見も違っているでしょう。健康的な結婚生活を送るためには、それらの様々な意見や見解をきちんと処理しなければなりません。すべて合意に達する必要はありませんが、二人の間に溝を作らないように、そういった違いを処理する道を発見しなければならないのです。

夫婦のラブタンクが空だと、口論をして相手との距離を置き始めます。そういった口論の中で、言葉の暴力を振るったり、または身体的な暴力を振るう人まで出てきます。しかし、ラブタンクが満タンだと、友好的な環境を作り出すことができます。それは、相手を理解したいと求める環境であり、違いを許し合い、問題点を話し合うことができる環境なのです。私は、感情的な愛の必要を満たすことほど、結婚生活の全体に影響を及ぼす要素はない、と確信しています。

愛すること、特に配偶者が自分を愛してくれないのに自分だけ相手を愛することは不可能だ、と思う人もいるでしょう。そういう愛は、霊的な源から力を得なければ出てこない愛です。これはもう何年も前のことですが、私自身が自らの結婚生活で葛藤した時、そこに神を必要としている自分を再発見しました。人類学者として、データを厳密に調査するように訓練されていた私は、その時、個人的にキリスト教信仰のルーツを掘り下げてみようと決心したのです。そして、キリストの誕生、地上生涯、死そして復活の歴史的記事を考察することで、キリストの死が愛の表現であり、キリストの復活が彼の力を証拠づける重大な出来事である、と考えるようになりました。私は、本当に「信じる人」になったのです。キリストに人生を捧げる決心をしました。そして愛の見返りがない時でも、キリストが愛するための霊的な力を私の内に備えてくださることを発見したのです。

キリストは死を前にして、自分を殺そうとする者たちのために、「父よ。彼らをお赦しくださ い。彼らは、何をしているのか自分でわからないのです」（ルカ二三・三四）と祈られました。ここに究極の愛の姿があります。このイエス・キリストについて、どうか個人的な調査をしてみてください。それが私の強い願いです。

現在のこの国における高い離婚率は、おびただしい数の既婚者カップルが、空っぽの感情的ラブタンクを持って生活していることを物語っています。家出をして法律を犯す若者の数も増えています。これもまた、子どもに愛を示したいと誠実に願うたくさんの親たちが、実際には効果的な愛の言語を語っていないことを表しています。この本に書かれているアイディアが、この国の夫婦、そして家族に衝撃的なインパクトを与えることができると、私は確信しているのです。

私は、学術論文として大学の図書館に保管されるためにこの本を書いたのではありません。もちろん、結婚や家庭について講義をする社会学や心理学の教授の方々にも役立つ本であってほしいと思いますが、この本は、結婚について研究する人々のために書かれたものではなく、実際に結婚している人々のために書かれたものです。恋愛の幸福感を経験して、相手を最高に幸せにしたいという高尚な夢を抱いて結婚生活に入ったものの、毎日の生活という現実の中で、その夢を完全に失いつつあるという人々のために、私はこの本を書きました。そのような数多くのカップルたちに、結婚生活の夢を再発見してほしいのです。それだけではなく、実際にその夢を現実のものとする道を見出してほしいのです。これが、私の心からの願いです。

私の夢は、夫と妻が満タンの感情的ラブタンクで生活し、個人としてそして夫婦としての可能性を最高に生かし、他の人々のためにもこの国のためにも、彼らの潜在能力が大いに引き出される日が来ることです。

そしてさらには、子どもたちが、家庭で受けることのできなかった愛を捜し求めて人生を送るのではなく、愛と安心感に満たされた家庭に育って、その中で育まれる成長エネルギーを、学びと奉仕に注ぐことができる日が来ることです。

この短い一冊の本が、あなたの結婚生活に、そしてほかの何千というカップルの結婚生活に、愛の炎を燃え立たせてくれるようにと強く願います。

もしできることなら、世界のすべての夫婦にこの本を手渡し、「あなたのためにこの本を書きました。これによってあなたの人生が変わりますように。そしてもし変わったら、この本を誰かほかの人にあげてください」と言ってまわりたいくらいです。しかし実際にはそれができないので、あなたが、自分の家族や信仰の兄弟姉妹、巣立って既婚者となった子どもたち、職場の仲間やクラブや教会の仲間に、一冊手渡してくだされば、本当に嬉しいです。そうするうちに、この夢が現実になるのを一緒に見られる日だって来るかもしれないではありませんか。

あなたの愛の一次言語を確認するために

この確認テストは、自分の愛の一次言語がすでにわかっている人にも、さっぱり見当がつかないという人にも役立つ判定ツールです。このテストで、あなたの愛の言語をしっかり確認しましょう。肯定的な言葉、クオリティ・タイム、贈り物、サービス行為そして身体的なタッチのどれが、あなたの愛の一次言語でしょうか。

このテストは、二つの文章が対になった三十組の設問によって構成されています。各組の設問を読んで、あなたの希望・要望をよりよく表現していると思うほうの文章を選び、下にあるアルファベットを丸で囲んでください。二つの文章のうち、どちらを選ぶか迷う場合もあると思いますが、正確なテスト結果を得るために、必ず各組の文章から一つだけを選択してください。

テストには、少なくとも十五分から三十分の時間をかけましょう。なるべくリラックスした環境でテストし、あわてて終わらせることは避けてください。全組から選び終えたら、はじめに戻って丸印のついたアルファベットの数をそれぞれ合計し、その結果をテストの最後の欄に書き込みます。

確認テスト　（夫用）

1　妻から愛情のこもったメモやカードをもらうと気分がいい。　A
妻に抱きつかれると嬉しい。　E

2　妻と二人きりでいるのが好きだ。　B
妻が庭仕事などを手伝ってくれると、彼女の愛情を感じる。　D

3　妻から特別の贈り物をもらうと幸せを感じる。　C
妻と長期の旅行に出かけるのが好きだ。　B

4　妻が私の洋服を洗濯してくれると愛情を感じる。　D
妻に触れられるのが好きだ。　E

5　妻が肩などに腕を回してくると、「愛されている」と感じる。　E

妻が贈り物で私を驚かせてくれると、彼女に愛されているとわかる。 C

6 妻とならどこに行くのも好きだ。 B
妻と手をつなぐのが好きだ。 E

7 妻のくれる贈り物を大切に思う。 C
妻に「愛してる」と言われるのが好きだ。 A

8 妻がぴったりとそばに座ってくれるのが好きだ。 E
妻が「かっこいい」とか、「きまってる」と言ってくれると嬉しい。 A

9 妻と一緒に時間を過ごす時に幸せを感じる。 B
どんなに小さな物でも、妻からの贈り物は私にとって大事な物だ。 C

10 妻に「誇りに思う」と言われる時、「愛されている」と感じる。 A
妻が私のために料理をしてくれると、妻に愛されていることがわかる。 D

11 何であれ、妻と一緒に何かをするのが好きだ。　B
妻の励ましの言葉を聞くと嬉しい。　A

12 妻が私のために細々したことをやってくれることは、言葉よりも心にしみる。　D
妻を腕に抱くのが好きだ。　E

13 妻のほめ言葉は私にとって重要だ。　A
妻が私の本当に気にいる物をプレゼントしてくれるととても嬉しい。　C

14 妻のそばにいるだけで気分がいい。　B
妻にマッサージしてもらうのが大好きだ。　E

15 私が成し遂げたことに対する妻の反応にとても励まされる。　A
妻が本当はやりたくないことをして私を助けてくれる時、感動する。　D

16
妻のキスならいつでも歓迎だ。 E
私のしたいことに妻が心から関心を示してくれると嬉しい。 B

17
手伝いが必要な時、妻は頼りになる。 D
妻からもらったプレゼントを開ける時は、今でもわくわくする。 C

18
妻が私の外見をほめてくれるのが好きだ。 A
妻が私の話に耳を傾け、すぐに裁いたり批判したりしないところが好きだ。 B

19
妻が近くにいると触らずにいられない。 E
妻が時々私のためにお使いに行ってくれることをありがたく思う。 D

20
いろいろと私を助けてくれる妻は、表彰されるべきだ。 D
妻はなんて思いのこもった贈り物をくれることかと、感動することがある。 C

21
妻が私に一心の注意を向けてくれるととても嬉しい。 B

家をきれいにしておくことは、大切なサービス行為だと思う。 D

22

私の誕生日に妻が何をくれるか、いつも楽しみだ。 C

私が大切な存在だということを、妻にいつでも何度でも言われたい。 A

23

私にプレゼントをくれることで、妻は私への愛を伝えてくれる。 C

妻は家の周りの仕事を手伝うことで愛情を示してくれる。 D

24

妻が私の話を中断しないで聞いてくれるところが好きだ。 B

妻からのプレゼントなら、いつでもいつまでも嬉しい。 C

25

妻は私が疲れていると、それを察して、何をして手伝ったらいいかと尋ねてくれる。 D

目的地がどこだろうと、とにかく妻と一緒に出かけるのが好きだ。 B

26

妻とセックスするのが大好きだ。 E

妻のプレゼントに驚かされるのが大好きだ。 C

27　妻の励ましの言葉が私に自信を与えてくれる。　A
妻と映画を見るのが好きだ。　B

28　妻からのプレゼントに勝る贈り物はない。　C
妻に触らずにはいられない。　E

29　妻が、ほかにやることがあるのに私を手伝ってくれる時、とてもありがたく思う。　D
「感謝してる」と妻が言ってくれると、ものすごく気分がいい。　A

30　しばらく離れていたあと、妻を抱き寄せてキスするのが好きだ。　E
私を信頼している、と妻に言ってもらうのが好きだ。　A

A（　）　B（　）　C（　）　D（　）　E（　）

A＝肯定的な言葉　B＝クオリティ・タイム　C＝贈り物
D＝サービス行為　E＝身体的なタッチ

確認テスト　（妻用）

1　夫から優しい言葉の書かれたメモやカードをもらうと気分がいい。　A
　夫に抱き寄せられると嬉しい。　E

2　夫と二人きりでいるのが好き。　B
　夫が私の車を洗ってくれると、彼からの愛情を感じる。　D

3　夫から特別の贈り物をもらうと幸せを感じる。　C
　夫と長期の旅行に出かけるのが好き。　B

4　夫が洗濯の手伝いをしてくれると、愛情を感じる。　D
　夫に触られるのが好き。　E

5　夫が肩などに腕を回してくると、「愛されている」と感じる。　E

夫が贈り物で私を驚かせてくれると、彼に愛されていることがわかる。 C

6 夫とならどこへ行くもの好き。 B
夫と手をつなぐのが好き。 E

7 夫のくれる贈り物を大切に思う。 C
夫に「愛してる」と言われるのが好き。 A

8 夫がぴったりそばに座ってくれるのが好き。 E
夫が「その服、似合ってるよ」とか、「きれいだ」などと言ってくれると嬉しい。 A

9 夫と一緒に時間を過ごす時に幸せを感じる。 B
どんなに小さな物でも、夫からの贈り物は私にとって大事な物。 C

10 夫に「誇りに思う」と言われる時、「愛されている」と感じる。 A
夫が食事の後片づけを手伝ってくれると、愛されていることがわかる。 D

11
何であれ、夫と一緒に何かをするのが好き。 B
夫の励ましの言葉を聞くと嬉しい。 A

12
夫が私のために細々したことをやってくれることは、言葉よりも心にしみる。 D
夫に抱きつくのが好き。 E

13
夫のほめ言葉は私にとって重要だ。 A
夫が私の本当に気にいる物をプレゼントしてくれるととても嬉しい。 C

14
夫のそばにいるだけで気分がいい。 B
夫にマッサージしてもらうのが大好き。 E

15
私が成し遂げたことに対する夫の反応にとても励まされる。 A
夫が本当はやりたくないことをして私を助けてくれる時、感動する。 D

16
夫のキスならいつでも大歓迎。　E
私のしたいことに夫が心から関心を示してくれるのが嬉しい。　B

17
手伝いが必要な時、夫は頼りになる。　D
夫からもらったプレゼントを開ける時は、今でもわくわくする。　C

18
夫が私の外見をほめてくれるのが好き。　A
夫が私の話に耳を傾け、私の考えを尊重してくれるのが好き。　B

19
夫が近くにいると触らずにいられない。　E
夫が時々私のためにお使いに行ってくれることをありがたく思う。　D

20
いろいろと私を助けてくれる夫は、表彰されるべきだと思う。　D
夫はなんて思いのこもった贈り物をくれることかと、感動することがある。　C

21
夫が私に一心の注意を向けてくれると、とても嬉しい。　B

夫が家の掃除を手伝ってくれることに感謝している。 D

22 私の誕生日に夫が何をくれるか、いつも楽しみ。 C
私が大切な存在だということを、夫にいつでも何度でも言われたい。 A

23 私にプレゼントをくれることで、夫は私への愛を伝えてくれる。 C
頼まなくても手伝ってくれることで、私に対する夫の愛がわかる。 D

24 夫が私の話を中断しないで聞いてくれるところが好きだ。 B
夫からのプレゼントなら、いつでもいつまでも嬉しい。 C

25 夫は私が疲れているとそれを察して、何をして手伝ったらいいかと尋ねてくれる。 D
目的地がどこだろうと、とにかく夫と一緒に出かけるのが好き。 B

26 夫と抱き合うのが大好き。 E
夫のプレゼントに驚かされるのが大好き。 C

27 夫の励ましの言葉が私に自信を与えてくれる。 A
夫と映画を見るのが好き。 B

28 夫からのプレゼントに勝る贈り物はない。 C
夫が私に触らずにいられないことが嬉しい。 E

29 夫が忙しいのに私を手伝ってくれる時、とてもありがたく思う。 D
「感謝している」と夫が言ってくれると、ものすごく気分がいい。 A

30 しばらく離れていたあと、夫を抱きしめてキスするのが好き。 E
私がいなくて寂しかったと夫に言われるのが好き。 A

A（　）　B（　）　C（　）　D（　）　E（　）
A＝肯定的な言葉　B＝クオリティ・タイム　C＝贈り物
D＝サービス行為　E＝身体的なタッチ

テストスコアの解釈と利用法

この確認テストで、一番高い点数を集めた言語があなたの愛の一次言語です。二つの言語が同点で最高点だったという人は、愛の一次言語を二つ持っている「バイリンガル」です。同点ではないけれど、最高点の言語と二番目に点の高い言語のスコアが非常に近い場合は、そのどちらの言語もあなたにとっては大切な愛の表現である、ということです。どの言語も、最高点数は十二点です。

点数が高かった愛の言語以外の言語も軽視しないでください。それらの言語で相手が愛情を表現している場合もあるのです。それをわきまえることは、配偶者を理解するのに役立つでしょう。それと同時に、配偶者がお互いの愛の言語を知ること、相手が愛情として受け取ることのできる言語で愛情表現することは、夫婦にとって大きな益となります。二人がお互いの愛の言語を語るたびに、感情的な愛のポイントを獲得できるのです。もちろん、これは得点ゲームではありません。しかし、愛の言語を語ることによって二人は「親近感」という報酬を得られるのです。これが、よりよいコミュニケーション、理解の深まり、そして最終的にはロマンスの向上につながるのです。

あなたの配偶者にも、このテストをやってみるように勧めてください。そしてお互いの愛の言語について話し合ってください。それによって得た知識と洞察を用いて、結婚生活の改善を図りましょう！

訳者あとがき

本書は、*The Five Love Languages*（Gary Chapman, Northfield Publishing, 1992, 1993）の翻訳である。著者であるゲーリー・チャップマン氏は、アメリカ全国で名の知られた結婚相談カウンセラーおよび結婚セミナーのスピーカーである。

ムーディー・バイブル・インスティチュートを卒業し、フィートン大学で人類学を専攻したあと、ウェイク・フォレスト大学から人類学の修士号を得た。その後、サウスウェスタン・バプテスト神学校で修士号と博士号を取得している。三十五年前から現在に至るまで、ノースカロライナ州ウィンストン・セイラムにあるカルバリー・バプテスト教会の副牧師を務めているという人物だ。

この本の英語版の販売数は三百万部を突破し、すでにアラビア語やヒンズー語を含む三十四か国語に翻訳されている。初版からすでに十数年が経過しているにもかかわらず、訳者がこのあとがきを書いている今現在も、「ニューヨーク・タイムズ」のベストセラー・リストでいまだに五位を維持しているという代物だ。

この本が、国や文化を超えてこれほどの人気を集める理由はいったい何なのだろうか。訳者は、ちょうどこの翻訳を終えたばかりの先週末、著者ゲーリー・チャップマン氏の結婚セミナーに参加する機会を得た。セミナーが始まる前、ほんの十五分ほどではあったが、チャップマン氏に独占インタビューすることができた。まず、深い信念を持った人という印象を受けた。氏は、相手の話に親身に耳を傾けてくれる。誠実で優しい。しかし、ただ単に優しいというより、その優しさの内側に力があるのだ。「愛が答えだ」という確信が氏の内側にはどっしりと据えられているように感じた。

そしてセミナーは実に面白い。興味深いということもあるが、話がユーモアに溢れていて、会場には笑いが絶えないのだ。何年も、毎週末のようにどこかに招かれてセミナーをしているためか、セミナー自体も見事に仕上げられたものだと感じる。

それに、チャップマン氏には牧師という召命が根底にあるからか、セミナーのスピーカーというよりも、愛という神の真理と、希望という神の恵みを、セミナー参加者に宣言しているという印象であった。豊富なカウンセリングの経験からもいろいろな実践的な話がにじみ出てくる。まさに、「この人の所なら、カウンセリングに行って相談したい」と思うような人なのである。

訳者は、この本を読み、翻訳をし、さらに著者と直接話をし、結婚セミナーにも参加して、この本が世界中で人気を集める理由を、実際に体験し目撃できたように思う。そうして得た洞察をここに書いておきたい。

人気の第一の理由は、本の内容が大変わかりやすく、また実践の手引きとなって読者に力を与えてくれることにあると思う。まず、この「愛の言語」という概念自体が、衝撃的で興味をそそられる。それに、書かれている内容に説得力がある。

短いインタビューの中で著者自身がこう言っていた。「この本を書くにあたって、私が目標としたことの一つは、本の内容をできるだけシンプルにしたいということでした。そうすることで、普通の人が本の内容であるこの愛の言語というアイディアを『ああ、そうか!』とつかんで、それを実践して、その人の結婚生活が改善される、そんな本が書きたかったのです」。そして実に、そのような内容の本になっていると思う。

誰であっても、夫婦関係がどんな状況にある人でも、気軽に手に取ることができる。「結婚とは何か」、「夫や妻を愛するとはどういうことか」、さらには「実際にどうやって愛せばいいのか」というような中身の濃い大切な事柄を、実にわかりやすく説明してくれる。また、恋愛と夫婦の愛との違いについてなど、非常に考えさせられる内容でも、実に楽しく明確に書かれているから把握しやすい。大切な概念が、ユーモア溢れる例話や共感できる実話を通して、理解しやすい形で読者に伝わってくるのだ。

その上、この本は、知識を提供するだけでなく、読む者を実践に導いてくれる。研究結果、著者の洞察、カウンセリングの体験談、そして実際に生きる人々の物語のすべてが、愛の実践に関する読者へのアドバイスであり激励となっている。

第二の理由は、傷つき悩んでいる夫や妻が世界中にそれほどたくさんいるということだ。著者のラジオ・プログラム『A Growing Marriage』は、アメリカ全国百局以上で放送されている。一九九七年以来、チャップマン氏が著した十五冊の本は、すべて愛や結婚について書かれたものだ。著者とのインタビューで、なぜ愛や結婚というトピックに興味を持つようになったのか尋ねてみた。「今の教会に副牧師として着任した頃、教会で聖書教育のイベントを始めました。すると、『結婚について何かやったら?』という声があったのです。それで結婚・夫婦生活についてのクラスを開くことになりました。結婚についてのクラスが、いつも一番人数が多かったですね。

実際にクラスを始めてみると、本当に傷ついている人や悩んでいる人は、クラスが終わったあとに残って話をするようになりました。そしてオフィスに来て話をしたいと言うようになりました。ですから、私は迫られてカウンセリングするようになったのです。自分からカウンセリングに関わるつもりだったのではなく、人々が痛み苦しんでいたので、背中を押されてカウンセリングに関わるようになったのです。その必要に気づいた時に、それが私のミニストリーの大きな部分を占めるようになったわけです」

チャップマン氏の結婚ミニストリーは、人々の苦しみや悩みがあったから生まれたものだという。

結婚関係に不満や悩みを持つ人が本当に多いことには、心が痛む。統計によると、アメリカの現在の離婚率は五十％で、結婚するカップルの半分が離婚に終わっている。少し前の統計になるが、二〇〇四年の日本の離婚率は三十七パーセントで、二分に一組の割合で離婚が発生していることになる。二〇〇五年の離婚件数は二十六万件である。この数字は、五十二万人の夫や妻の悲しみと悩みと、壊れてしまった家庭で傷つく子どもたちの傷や痛みを物語っている。

離婚を好んでする人などいない。自ら傷つくような結婚生活をしたいとか、子どもを傷つけたいとか思う人もいない。皆、希望を持って結婚生活に入り、愛に溢れるよい夫婦関係を持ちたい、愛情あるよい家庭を築きたいと願っている。誰もが、愛したいし、愛を学びたいのだ。結婚生活で悩み、心を痛めている人々が多いだけでなく、よい夫婦生活を持ちたいと願う思いが多くの人の心の内にあるからこそ、この本が人々の手に広く行き渡るのではないだろうか。

人気の第三の理由は、この本が人々に希望を与え、読者の結婚生活が実際に改善されてきたことにあると思う。本の中には、その事実を証明する実例がたくさん詰まっている。この本の効果の秘密は、神の愛を基礎としていることにあると思う。実に、本物の愛は結婚を回復させることができるのだ。

そもそも結婚というものを創られたのは天地創造の神である。愛の創始者もまた神である。本文において著者も触れていたが、自分を憎む者、自分を破壊し殺そうとする者を赦す愛、自分に苦しみをもたらす者のために命を捧げる愛ほど、偉大な愛はない。その愛を教えてくれたのは、人を救うために自らの命を十字架で捧げた神の子イエス・キリストだ。キリストの愛のあり方を真似て実行することに、この本の本当の力がある。

真理は解放をもたらす。愛には力がある。神の愛は人を癒す。この神の知恵に耳を傾けて、それを実行するなら、その結婚は救われる。そうして多くの結婚が救われてきたから、人々はこの本を読み続けるのではないのだろうか。

ここで、日本でこの邦版を手にする読者の関心事と思われる事柄について、二、三、触れておこう。まず、本文中で説明されている五つの愛の言語は、非常に根本的なものであり、どの文化にも存在する人間の愛の表現法であることを再度述べておく。

たとえば、「日本人はアメリカ人ほど感情表現が豊かでないから、愛の表現が下手なのではないか」などと心配する必要はない。日本人にあったやり方で愛情表現をすればいいのだ。公でのほめ言葉やタッチなどが文化的に不適当だと思うなら、プライベートで表現すればいい。肝心なのは、相手の愛の言語で愛情を感情的に伝えることにある。

著者はこう話してくれた。「この五つの愛の言語は根本的な愛の表現です。しかし、その一つ一つの愛の言語を語って実際にできる愛の表現は、それぞれの文化によって色づけられます。文化の中で、夫が妻にそして妻が夫に愛を伝えるのに適切なやり方があると思うのですよ」

ということで、本の中で提案されているサービス行為やアクティビティ、例話に出てくる肯定的な言葉などは、読者が自分たち夫婦の間で、何が相手の結婚生活を豊かにするものか、何が相手に愛を伝えることかを考えてカスタマイズすればいいのだ。それぞれの愛の言語の根本概念をつかんでいれば、応用は自由だ。

次に、同棲と結婚について触れておく。アメリカでの調査によると、結婚前に同棲したカップルの離婚率は、同棲せずに結婚したカップルよりも高い。「同棲すれば、お互いを知り合えるし、結婚してやっていけるか試す機会になる」と考える人が多い。理屈にかなうことのように聞こえるのだが、実際のデータはそう語ってはいない。

これについて著者はこう述べている。「結婚は、模擬実験ができないものです。結婚という関係の中心は、コミットメント（献身・約束）です。私たちは、結婚することでお互いに対して誓いを立て、相手との二人の関係に傾倒することを約束します。結婚する前に一緒に住む同棲関係には、そのコミットメントがありません。それが結婚と同棲の一番大きな違いです。あなたにはコミットメントがないのです。だから、どちらでも立ち去ろうと思い立った時点で、突然立ち去ることができます。相手に感情的な痛みがないと言っているのではありません。でも、二人にはいつでも立ち去ることができる自由があるのです。

これは、結婚関係とはまったく違います。いつでも立ち去っていい自由があるなら、そこには大したコミットメントはありません。ですから、同棲は結婚の事前テストになりそうなのですが、この国で行なわれたすべての調査研究によると、実際には結婚生活を高めることになっていないのです」

独身の方々には、本物の愛の関係である結婚を求めてほしいと思う。同棲から結婚生活に入り、今、夫婦生活に悩んでいる人・苦しんでいる人には、結婚という尊い関係をもう一度見つめなおし、希望を新たにして相手の愛の言語で愛することを一から始めるよう切に願う。

クリスチャンの読者たちは、イエス・キリストが大きな犠牲を払って示してくれた神の愛を思って、そのイエスに力と知恵を与えていただき、愛の言語を心を込めて夫や妻に語ってほしいと思う。クリスチャンでない読者の方々には、とにかく向上と回復の希望を持ち、この本から励ましと助言を得て、愛の道を選んで実行していただきたいと願う。

聖書に、「四つ辻に立って見渡し、昔からの通り道、幸いの道はどこにあるかを尋ね、それを歩んで、あなたがたのいこいを見いだせ」(エレミヤ六・六)との神のことばがある。結婚を創造し、愛を示してくれるこの神の道に歩んでほしい。そうしてあなたの結婚に憩いが与えられることを願う。

夫婦の関係は家庭の基礎であり、家庭は社会の基礎である。愛情のある夫婦生活が、私たちの力、子どもたちの力、社会の力そして国の力だ。この本を読むすべての人が、イエスの愛の真理を体験し、結婚生活が癒され、生きる力のみなぎる人生を送ってくれるように願っている。
最後に、この翻訳の最終段階において、新鮮な目で訳文の通し読みをしてくれた信仰の姉妹であるロバーツ昭子さんとマンディゴ道子さんに、心からお礼を言いたい。日本の夫婦のためにと、この本の翻訳を企画してくれたいのちのことば社にも感謝する。そして、イエス様に愛されていることを、目に見える形、感じることのできる形でいつも伝えてくれる愛する夫デイヴィッドにも心からの感謝を捧げたい。

二〇〇六年十一月十八日

本書の原書 *The Five Love Languages* は、二〇〇〇年に世界文化社より翻訳出版された『キケンなふたり――愛を救う5つの危機脱出作戦』の原書と同一の書籍です。

翻訳者

ディフォーレスト千恵

(でぃふぉーれすと・ちえ)

米国ノースウェスタン大学、JTJ 宣教神学校卒。現在、米国ティントンフォールス改革派教会で夫の牧会に協力しつつ翻訳に携わる。

愛を伝える5つの方法

2007年9月1日発行
2025年9月10日24刷

著　者　ゲーリー・チャップマン
訳　者　ディフォーレスト千恵
印刷製本　モリモト印刷株式会社
発　行　いのちのことば社

〒164-0001 東京都中野区中野2-1-5
電話 03-5341-6923(編集)
03-5341-6920(営業)
FAX 03-5341-6921
e-mail:support@wlpm.or.jp
http://www.wlpm.or.jp/

新刊情報はこちら

ISBN 978-4-264-02565-8